GLANZEND VERNIS

Greetje van den Berg

Glanzend vernis

Spiegelserie

Zomer &Keuning

Lieve Andrea Bijen,
Je hebt me met je eerlijkheid en praktische informatie erg geholpen
bij het schrijven van dit boek.
Heel veel dank daarvoor.

ISBN 978 90 5977 461 2
NUR 344

www.spiegelserie.nl
Omslagillustratie en -ontwerp: Bas Mazur
©2010 Zomer & Keuning familieromans, Kampen

1

SPIEGELS PRATEN NIET ALLEEN IN SPROOKJES.

De grote, langwerpige spiegel op de slaapkamer van Tirza houdt elke keer een heel verhaal als ze stilletjes naar zichzelf staat te kijken. Haar haren zijn nog nat van het douchen, haar kleren liggen op bed. In haar ondergoed staart ze naar haar eigen beeld. De spiegel zegt: 'Je ziet er niet uit. Zie je het zelf? Die buik, die bovenbenen. Verbeeld je maar niets, je bent wanstaltig dik. Wanstaltig en onsmakelijk.' Ze staat heel stil, terwijl in huis geluiden klinken die horen bij de vroege morgen. Haar moeder die de ontbijttafel gereedmaakt, haar vader die al naar zijn werk vertrekt, en haar oudere zus Kelly die uit de douche komt en meezingt met een nummer op de radio. De geluiden dringen niet tot Tirza door. De woorden van de spiegel resoneren tegen de wanden van haar slaapkamer. 'Wanstaltig en onsmakelijk.'

Ze is er niet, ze is er nog lang niet. Nadat ze uit bed kwam, heeft ze nog even in haar dagboek gelezen, waarin ze elke avond schrijft. 'Op school kon ik er niet omheen. Jamina had appelkoeken gehaald, omdat ze weet dat ik daar dol op ben. Ik wilde niet, maar de priemende blik van Jamina dwong me gewoon om er toch van te eten. Nooit geweten dat het mogelijk is om je zo schuldig te voelen als je iets lekkers eet.'

Gisteren heeft ze te veel gegeten. Vandaag moet ze ervoor boeten, maar dat geeft niet want het voelt goed als ze zich in weet te houden. Het voelt veel beter dan wanneer ze zich te buiten gaat. Zij kan die kilo's er afkrijgen. Ze is er sterk genoeg voor en ze gaat door tot die spiegel op een dag zal zeggen: 'Jij bent de slankste in het land.'

Nogmaals kijkt ze met afschuw naar haar eigen beeld, om vervolgens snel haar spijkerbroek en shirt aan te trekken. Daarover schiet ze een vest aan. Het is al wel april, maar de temperaturen zijn nog lang niet aangenaam.

Kelly dendert de trap af, zij haast zich daar even later achteraan.

Waarom komen die meiden toch altijd op het laatste nippertje naar beneden? Daardoor moeten ze zich nu alle drie weer haasten. Het leven lijkt soms alleen maar uit haast te bestaan. Met driftige bewegingen schuift Zita Kolthoorn de ontbijtborden in de vaatwasser. Daarna snelt ze terug naar de kamer om de rest op te halen. Die dochters van haar hadden daar natuurlijk geen tijd meer voor.

'Mam, ik ga hoor!' Tirza steekt haar hoofd om het hoekje van de deur.

'Je hebt je brood niet eens op,' moppert Zita.

'Sorry, ik moet echt weg. Jamina staat al op me te wachten.'

'Zo hou je het toch niet de hele morgen vol op school?'

'Ik heb genoeg brood mee, dus ik verhonger echt niet.'

De deur klapt achter haar dicht. Haar voetstappen klinken op de parketvloer in de gang, maar net als Zita naar het raam loopt om haar uit te zwaaien, staat ze weer in de kamer. 'Mam, vandaag kan die brief van de kunstacademie komen. Ik vind het toch zo spannend. Mag ik je sms'en als ik meer weet?'

'Bel me maar,' zegt ze. 'En schiet dan nu alsjeblieft op, anders kom je echt te laat.'

'Ik ga ook!' Kelly komt de kamer in als Tirza net haar fiets uit de schuur haalt. Ze geeft Zita een kus op haar wang. 'Als ik nu vertrek, kan ik nog net m'n bus halen! Tot vanmiddag!'

Als de schuttingdeur achter haar dochters in het slot valt, blijft de stilte achter. Zita werpt een blik op haar horloge. Hoe is het toch mogelijk dat de tijd 's morgens zo snel gaat?

Ze klapt de vaatwasser dicht, haalt een doek over de eettafel, legt het kleed eroverheen en trekt in de gang gehaast haar jas aan. De dag is nog jong en fris, en de wind veel sterker dan ze voorzien had. Ze moet stevig trappen. Af en toe groet ze een medebewoner uit de Maretakstraat. Als ze aan het einde komt, ontdekt ze Annabel Meyerink, haar beste vriendin, voor het raam van haar riante, vrijstaande woning. Automatisch steekt ze haar hand op, zoals ze elke ochtend doet. Het is een ritueel dat is ontstaan nadat ze samen in dezelfde straat gingen wonen. Ze denkt er nooit over na, maar vanmorgen stelt ze zich voor hoe Annabel straks rustig de ontbijtboel zal opruimen. Ze zal misschien koffiedrinken met haar hulp in de huishouding. Vanmiddag zou ze kunnen besluiten om in het bos te gaan wandelen. Annabel houdt van wandelen en de dag belooft een mooie voorjaarsdag te worden. Annabel kan bijna dagelijks kiezen hoe ze haar dag wil invullen. Vandaag zou ze best met Annabel willen ruilen.

Annabel Meyerink kijkt haar vriendin na, nadat ze even daarvoor haar dochter Jamina heeft uitgezwaaid. Een blik op de fraaie antieke kolompendule leert haar dat Zita hard zal moeten fietsen, wil ze nog op tijd komen. Ze staart naar de tuin, waar de narcissen schuin hangen door de wind, die zich ook vandaag weer stevig laat gelden. Met een zucht draait ze zich om. Op tafel getuigt de chaos nog van een hectisch ontbijt, gevolgd door een snel vertrek van dochter Jamina en zoon Floris. Daarna lijkt het huis altijd bevreemdend stil. Sinds haar oudste zoon Kenneth naar Afghanistan is uitgezonden, lijkt dat gevoel van bevreemding en leegte alleen nog te zijn toegenomen. Zou dat te maken hebben met het idee dat het niet klopt dat een kind van haar en haar man Olaf zich aangetrokken kon voelen tot het leger? Olaf was in zijn jonge jaren een uitgesproken pacifist geweest, op de universiteit stond hij bekend om zijn felle betogen tegen de kruisraketten. Zij was vijf jaar jonger dan hij. Ze had tegen hem opgekeken en hem erom bewonderd. Ook samen hadden ze erover gediscussieerd. Zijn denkbeelden waren de hare geworden.
Zo waren ze later hun kinderen voorgegaan. Conflicten waren niet met wapens op te lossen. Hun zoons kregen geen speelgoedgeweren of pistolen. Als ze onverhoopt toch soldaatje wilden spelen, legde Olaf ernstig uit waarom hij daar niet achter kon staan. Ze hadden werkelijk gedacht dat ze hun gedachtegoed over konden brengen. Nog herinnert ze zich haar teleurstelling toen Kenneth aankondig-

de het leger in te willen. Ze ziet weer het ongelovige gezicht van Olaf voor zich.

Annabel stapelt de borden op.

Natuurlijk waren ze in de loop der tijd wel genuanceerder gaan denken. De tijd had hen milder gemaakt, maar het besluit van Kenneth had toch heftige reacties opgeroepen. Olaf legde zich er niet zomaar bij neer. Felle discussies laaiden op. Uiteindelijk moest Olaf bakzeil halen. Kenneth had zijn keuze gemaakt en kwam daar, ook na het aanhoren van Olafs argumenten, niet op terug.

Nu zit hun oudste zoon in Afghanistan en Olaf praat er niet over. In de keuken plaatst ze de borden in de vaatwasser en stelt het programma in. Olaf doet alsof er geen gevaren in Afghanistan zijn. Alsof het hem niet interesseert dat Kenneth daar zit. Alsof hij zich geen zorgen maakt. Misschien is dat wel de belangrijkste oorzaak van haar gevoel van bevreemding.

Zita en Annabel zijn vriendinnen vanaf het moment dat ze als twee onzekere pubers in de brugklas van de havo belandden. In de jaren die volgden werden ze onafscheidelijk en hun vriendschap bleef, ook nadat hun levens niet langer synchroon liepen. Annabel ging naar het vwo, Zita volgde een opleiding voor secretaresse. Annabel zette haar studie voort op de universiteit terwijl Zita haar eerste baan als secretaresse in Zwartburg vond. In het weekend gingen ze samen uit. Zij trakteerde omdat Annabel als arme student niet veel geld te besteden had.

In die tijd kruiste Olaf het pad van Zita. Voor de buitenwereld was hij altijd de man van Annabel geweest. Ze spraken er niet over dat Olaf ooit met Zita een stel had gevormd. Zelfs Wijnand was er niet van op de hoogte. Toen ze verkering met hem kreeg, was de geschiedenis met Olaf al meer dan een jaar achter de rug. Annabel hoorde in die tijd bij Olaf alsof het nooit anders was geweest. Olaf leek er niet meer aan te denken. Annabel kaartte het evenmin aan. Waarom zouden ze ook? Ze probeert zelf ook niet meer aan die tijd te denken. Hoe komt het dat haar dat de laatste tijd zo moeilijk valt?

'Weerstand Party-Service maakt een feest van uw evenement' staat er in grote letters op de gevel van het gebouw dat uit rode bakstenen is opgetrokken. Zita sjeest het terrein op en springt van haar fiets om die in de stalling te zetten. Ze was erbij toen de slogan onthuld werd tijdens de feestelijke opening van het pand. Het vervulde haar met trots want 'Weerstand Party-Service' was in de bijna achttien jaar dat ze er werkte, een deel van haarzelf geworden. Kort na de geboorte van Tirza had ze er gesolliciteerd. Ze herinnert zich nog hoe ze in die tijd overwogen had om haar fulltimebaan in Zwartburg op te zeggen. Het werd haar te zwaar met twee kinderen. Wijnand had haar op de advertentie in de krant gewezen. Weerstand Party-Service vroeg een secretaresse voor halve dagen. Ze was dolgelukkig toen ze werd aangenomen in het nog jonge bedrijf van Albert, Henderika en Jeanette Weerstand. In de loop der jaren was ze met het bedrijf mee-gegroeid. Haar uren werden uitgebreid toen de kinderen groter wer-den. Sinds een jaar of vijf geeft ze als officemanager vier hele dagen per week leiding aan het secretariaat. De promotie voelde destijds als een teken van waardering en gaf nog meer inhoud en uitdaging aan haar werk. Haar baan was van essentieel belang. Zo had ze het altijd gezien. Wijnand had een aardig inkomen, maar dankzij het hare konden hun dochters probleemloos studeren. Haar salaris stelde hen in staat om leuke vakanties te vieren en dit ruime huis aan de Maretakstraat te kopen.

Het waren allemaal zaken waarvoor Annabel niet aan het werk hoef-de. Olaf verdiende als directeur Ontwikkeling bij de gemeente 'schandalig veel', zoals Annabel het uitdrukte. Zij werd de moeder met de theepot, maar was tevens overblijfmoeder, leesmoeder en knutselmoeder op school.

Zita beweerde niet afhankelijk van Wijnand te willen zijn. Ze wilde haar eigen bankrekening, haar eigen leven, haar eigen carrière. Als ze gehaast het gebouw binnenloopt en in het voorbijgaan de receptioniste groet, vraagt ze zich ineens af of ze zichzelf niet altijd zand in de ogen heeft gestrooid.

Annabel heeft de tafel afgeruimd en probeert zich voor te bereiden op een vergadering van de kerkelijke werkgroep die ze 's middags moet voorzitten. Ze zet de radio wat harder als de stem van Boudewijn de Groot klinkt: *'Hoe sterk is de eenzame fietser die kromgebogen over zijn stuur tegen de wind, zichzelf een weg baant.'*
Samen met Olaf zong ze dat lied vroeger uit volle borst mee. Vroeger lijkt nu een eeuwigheid geleden.
Boven is de hulp aan het stofzuigen. Ze draait de volumeknop nogmaals hoger. Aanvankelijk wat aarzelend zingt ze de bekende woorden, maar tijdens het refrein klinkt haar stem steeds enthousiaster, het laatste deel van het nummer steeds weer herhalend:
'Maar liever dat nog
Dan het bord voor z'n kop
Van de zakenman
Want daar wordt-ie alleen maar slechter van.'
Olaf zong deze woorden destijds met bezieling, tegenwoordig lijkt hij als directeur Ontwikkeling van de gemeente Emelwerth steeds meer op de zakenman.
De zware stem van een nieuwslezer kondigt het nieuws van tien uur aan. Haar handen blijven ineens werkeloos boven het toetsenbord van de computer hangen en ze luistert met ingehouden adem.
'Er is een pyromaan actief...' klinken zijn eerste woorden door de kleine luidsprekers van de radio. Bij die mededeling herademt ze. In Afghanistan hebben geen ernstige gebeurtenissen plaatsgevonden. In dat geval zou dat het belangrijkste bericht zijn. Sinds Kenneth naar Afghanistan is uitgezonden, volgt ze de nieuwsuitzendingen op de voet en elke keer lijkt haar maag van spanning op te zwellen. Natuurlijk weet ze dat het onzin is. Als ouders zouden ze eerst in kennis worden gesteld als er iets met Kenneth aan de hand mocht

zijn. Nooit zou ze dat via de radio vernemen. Haar verstand weet dat, maar legt het geregeld af tegen haar gevoel.
De nieuwslezer is aan het weerbericht toe en toch hangen haar vingers nog steeds boven het toetsenbord. Ze zucht. Waarom had Kenneth toch met alle geweld het leger in gewild?

Tirza Kolthoorn trekt haar wijde, groene vest dichter om zich heen. In haar schrift tekent haar pen een gezicht terwijl ze zich tracht te concentreren op de neuzige stem van mevrouw Barends. '*Les mots, les mots* en nogmaals *les mots*,' houdt ze haar gehoor voor. 'Alles draait om woordjes. Kennen jullie je Franse woordjes niet, dan is het bij voorbaat een verloren zaak. *Oui, oui*, ik zie sommigen van jullie lachen, maar ik kan je nu al vertellen dat jullie het lachen zal vergaan als jullie tijdens het examen die woordjes nog steeds niet kennen. Hoe wil je een luistertoets maken als je de woordjes niet kent? We kunnen hier op school oefenen tot we erbij neervallen, maar als jullie je woordjes niet kennen...'
'Dan kunnen we er net zo goed niet aan beginnen,' klinkt naast Tirza de opgewekte stem van Jamina Meyerink. De pen van Tirza blijft geschrokken boven het papier hangen als mevrouw Barends een paar stappen in hun richting doet.
'*Mademoiselle* Meyerink, misschien wil je mij plezieren en even voor het bord komen staan? Als je het zo goed weet, willen wij daar graag iets van leren. *Allez*, schrijf voor mij de zin: '*La rue assourdissante autour de moi hurlait.*'
'Charles Baudelaire, '*À une passante*',' weet Jamina opgewekt en schrijft even later met ferme streken de zin op het bord.
'Je hebt geluk, *mademoiselle* Meyerink,' geeft mevrouw Barends toe. 'Misschien kun je de rest van het eerste couplet ook nog voor ons op het bord zetten?'
Tirza ontdekt de smalle glimlach op het bleke gezicht van mevrouw Barends. Jamina is een kei in Frans. Zonder daar veel moeite voor te hoeven doen, haalt ze achten en negens en zelfs regelmatig een tien.

Het verbaast niemand dat ze heeft aangegeven na haar eindexamen Frans te willen studeren. Tirza trekt de mouwen van haar vest over haar handen. Ze voelen ijskoud aan, het is of haar lichaam nooit meer warm zal worden. Ze staart naar het bord, waar het gedicht van Charles Baudelaire in grote letters vorm krijgt. 'Jamina is een zondagskind,' had haar moeder laatst nog eens beweerd. De geboorte van een dochter na twee zoons, had in huize Meyerink grote blijdschap veroorzaakt. Jamina werd in de watten gelegd door haar broers, door oom Olaf en niet in het minst door tante Annabel. Jamina is niet alleen intelligent, ze is ook mooi, veel mooier dan zijzelf ooit zal worden. Jamina's donkere ogen worden omkranst door lange wimpers. Ze zijn de blikvangers in haar regelmatige gezicht. Tirza kauwt op haar pen terwijl ze naar Jamina kijkt die zelfverzekerd de rest van het couplet uitschrijft. In vergelijking met Jamina is zij bleek en onbeduidend. Jamina is prachtig en spontaan. Jongens draaien zich nog eens om als ze voorbij loopt. Voor haar zal dat nooit weggelegd zijn, al doet ze nog zo haar best om zich leuk te kleden. 'Je bent altijd zo vrolijk,' beweerde tante Annabel laatst. 'En ook nog behulpzaam. Ik zou willen dat Jamina een beetje op je leek. Als het aan Jamina ligt, doet ze nooit iets in huis en jij vindt het heel vanzelfsprekend om te koken als je moeder moet werken.' Jammer, dat het mannelijk geslacht andere zaken belangrijker acht.

'*Attention, attention* allemaal!' Mevrouw Barends staat zielstevreden de verrichtingen van Jamina gade te slaan. 'Laat *mademoiselle* Meyerink een voorbeeld zijn. Franse poëzie is een feest!'

Tirza's pen zakt weer op het papier van haar schrift met Franse woordjes terwijl Jamina de laatste hand legt aan haar opdracht.

'Mevrouw Barends, mag het raam open? Het is hier om te stikken,' wordt er van achter uit de klas geroepen. Mevrouw Barends knikt. Op haar kittige hoge hakjes loopt ze naar het raam.

'Het is hier ijskoud,' roept Tirza, maar haar stem reikt niet ver genoeg. Niemand hoort haar en de kou sijpelt ogenblikkelijk door het geopende raam naar binnen.

Mevrouw Barends trippelt weer in de richting van het bord en knikt goedkeurend.

'*Excellent!*'

Volgens Jamina hebben ze mevrouw Barends uit een prehistorische grot laten ontsnappen. Ooit heeft Tirza gehoord dat ze vijfenveertig is, maar mevrouw Barends lijkt veel ouder. Misschien komt het door het donkere haar dat strak naar achteren in een soort knot is gerold. Ze is een lerares Frans zoals ze die in films neerzetten, compleet met Nana Mouskouri-bril. Ze hebben haar nog nooit op een grapje kunnen betrappen, ze hamert op de Franse woordjes en lijkt ergens in de tijd stil te zijn blijven staan.

Jamina komt weer opgewekt naast haar zitten. Ze werpt een blik op Tirza's schrift en proest het uit. 'Tjee, mevrouw Barends als oer-vrouw!'

'*Mademoiselle* Meyerink, een volgende keer heb je minder geluk.' De snerpende stem van mevrouw Barends doet Tirza de rillingen over haar rug lopen. '*Mademoiselle* Kolthoorn, ik zie je zo heftig schrijven... Wil je misschien iets met ons delen? Voel je behoefte om het tweede couplet van '*Á une passante*' op het bord te schrijven of wil je ons iets meer over Baudelaire vertellen?'

Driftig schudt Tirza haar hoofd en tot haar opluchting gaat mevrouw Barends over op het volgende onderwerp.

'Mam, ik ben echt aangenomen op de kunstacademie.' Tirza zet zich aan het einde van die middag op het aanrecht en kijkt toe hoe haar moeder met snelle gebaren tomaten snijdt. 'Ik had het niet verwacht. Na al die negatieve opmerkingen van die docenten, had ik het gevoel dat ik niets kon.'

'Je gaat daar ook naartoe omdat je nog een heleboel moet leren,' zegt Zita. Ze baalt. Normaal gesproken heeft Tirza het eten klaar als ze naar huis komt, maar vandaag overheerste de vreugde over haar toelating haar drang tot koken. Als ze zich daarop heeft voorbereid is het niet erg, maar ze had verwacht dat het eten klaar zou staan bij thuiskomst. Vanavond is haar vaste sportavond met Annabel. Ze zal zich moeten haasten, alweer haasten.

'Ik moest jou eerst op je werk bellen en daarna papa natuurlijk. Jamina had me ernaar gevraagd en ze kwam hier vanmiddag meteen naartoe om het te vieren,' had Tirza haar verzuim verklaard. 'Ik kwam echt niet aan koken toe.'

'Ik hoop nu niet dat je na een halfjaar tot de conclusie komt dat het toch niet de juiste keuze is,' mompelt Zita zuinigjes.

'Waarom zou ik? Dit is mijn droom, mam. Dit wil ik al heel lang.'

'Dromen kunnen bedrog zijn.' Ze wil helemaal niet zo negatief zijn, maar ze heeft niets met de kunst van Tirza, laat staan met een kunstacademie. Waarom gaat dat kind toch niet gewoon een fatsoenlijke opleiding volgen zoals Kelly?

'Weet je hoeveel calorieën er in pijnboompitten zitten?' Tirza's enthousiasme ebt weg. Ze kijkt met onverholen afkeer naar de sla die haar moeder er zojuist mee heeft bestrooid.

'Ik heb geen idee.' Onverstoorbaar gaat Zita verder met de voorbereidingen voor de maaltijd. 'Ik weet zelfs niet of ik het wel wil weten.'

'Zeshonderdachtentwintig per honderd gram om precies te zijn. Ze zijn zo vet als boter.'

'Maar gezonder, lijkt me. Zou jij nu even die schaal op tafel willen zetten?'

'Van gezond vet val je ook niet af.' Tirza pakt de schaal met sla op alsof er gif in zit en laat zich van het aanrecht zakken.

'Laat gewoon de tussendoortjes staan, eet normaal en beweeg regelmatig. Ik ben ervan overtuigd dat je dan afvalt.' Zita glimlacht. 'Volgens mij hoef je niets meer af te vallen, lieverd. Ik vind het heel knap van je dat je in korte tijd zoveel kilo's ben kwijtgeraakt, maar je moet niet overdrijven.' Ze kijkt op haar horloge. 'Het is te hopen dat papa en Kelly zo thuiskomen. Ik ben blij dat Kelly op woensdag met papa mee kan rijden, anders zouden we niet eens samen kunnen eten. Op zo'n hbo-opleiding maken ze toch wel lange dagen.

Het is goed dat ze flink gemotiveerd is.'
'Gelukkig zit de voorjaarsvakantie eraan te komen. Volgens mij is Kelly hartstikke moe na de periode die ze stage heeft gelopen in het ziekenhuis.'
'Het beroep van verpleegkundige is intensief.' Zita draait voorzichtig de vegetarische schnitzel voor Tirza om. 'Dat zal ze de komende tijd wel vaker merken, maar ik heb er alle vertrouwen in dat ze het aankan. O, daar zijn ze warempel al.'
Door het geopende raam klinkt het geluid van een auto die op de oprit tot stilstand komt.
'Mooi, zo kom ik wel op tijd om samen met tante Annabel te gaan sporten,' merkt Zita tevreden op terwijl ze de aardappels afgiet en in een dekschaal deponeert. 'Dan ben ik eens een keer niet de laatste.'
Tirza hoort het al niet meer. Ze zet de schaal met sla op de keurig gedekte tafel in de kamer.

Op de rand van Tirza's bord liggen de pijnboompitten netjes op een rijtje.
'Wat zouden jullie ervan vinden als ik in het derde jaar stage zou gaan lopen in het buitenland?' Kelly kijkt haar ouders afwachtend aan en prikt een olijf aan haar vork.
'Waar denk je dan aan?' wil Wijnand weten.
'Ghana of zo, een studiegenoot van me wil ook naar Ghana en ze wil graag dat er iemand meegaat.'
'Je moet de kansen grijpen die je geboden worden,' meent Zita.
'Hoewel, is Ghana wel zo'n veilig land?'
'Volgens Esther, mijn studiegenoot, wel. Ze kent iemand die er ook is geweest. In zo'n land kun je je echt nuttig maken en dat vind ik belangrijk.'
Tirza hult de enige aardappel op haar bord in haar servet en weet die ongemerkt in haar zak te stoppen. Lusteloos prikt ze in de sla. Kelly heeft de aandacht weer naar zich toe weten te trekken. Even is er aandacht voor haar en haar succes geweest, maar haar moeder leek

opgelucht om weer over te gaan naar een studie die ze wel begrijpt. 'Het lijkt me fantastisch om nu eens kennis te maken met een heel andere cultuur,' zwijmelt Kelly. 'Bovendien is het natuurlijk best leerzaam om in een ziekenhuis te werken dat niet zo van alle gemakken is voorzien als in ons land. Volgens die kennis liggen de kinderen soms gewoon bij elkaar in bed, zelfs als ze heel erg ziek zijn.'

'Dat is hier toch onvoorstelbaar.' Zita schept nog wat sla op haar bord. Haar oog valt op de pijnboompitten. 'Tirza, stel je toch niet zo aan. Die paar pijnboompitjes leveren je echt geen kilo's op.'

'Ik ben niet dol op pijnboompitten,' mompelt Tirza. 'Hoe lang zou je daar dan blijven?' probeert ze de aandacht weer naar Kelly af te leiden.

'Een maand of drie schijnt een mooie periode te zijn.'

Tirza ziet hoe haar moeder nog eens naar haar bord kijkt, maar zich dan weer geïnteresseerd naar Kelly buigt. 'Is het niet zo dat de familieleden ook verantwoordelijk zijn voor het eten van de patiënt?' vraagt ze zich af. 'Volgens mij moeten ze dagelijks eten meenemen.'

'Dat weet ik niet, maar als ik er ben geweest, kan ik het jullie allemaal vertellen.'

'Wat geweldig dat die mogelijkheden er tegenwoordig allemaal zijn,' merkt Wijnand op. 'Tirza, zal ik jou nog iets opscheppen?'

'Ik heb genoeg gehad.' Tirza schuift haar bord naar het midden van de tafel en leunt achterover. 'Het was heerlijk.'

'Je eet te weinig,' houdt Wijnand aan. 'Ik heb je een beetje in de gaten gehouden, maar je hebt één aardappel gegeten, een beetje sla en het grootste deel van de vegetarische schnitzel ligt nog op je bord.'

'Ik heb vandaag weinig trek.'

'Ik maak me zorgen. Je eet echt te weinig.' Zijn bruine ogen blijven onderzoekend op haar rusten.

Tirza glimlacht. 'Hartstikke lief dat je zo bezorgd bent, maar het is echt niet nodig. Ik voel me prima. Na het eten wil ik nog even sporten en daarna verder met de afronding van m'n profielwerkstuk.

Vinden jullie het goed dat ik alvast van tafel ga? Eten jullie nog maar even lekker door.'

Ze staat al op voordat ze antwoord heeft gekregen.

'Ga dan een keer niet sporten,' bemoeit Kelly zich ermee.

'Ik vind het juist heerlijk om een sprintje te trekken. Daar voel ik me goed bij.' De glimlach wijkt niet van haar gezicht, alsof ze zichzelf wil overtuigen. In een warm gebaar legt ze haar hand op de schouder van haar vader en kust hem op de kruin. 'Je bent een lieve, bezorgde vader.'

Ze knoopt haar vest dicht, maar het brengt haar niet de warmte waarnaar ze verlangt. Voor ze de trap neemt naar haar slaapkamer, laat ze in de keuken de aardappel in de pedaalemmer vallen.

Het is raar zoals stilte zich als een muur kan opwerpen. Zita staart naar het bord van Tirza, met de rand pijnboompitten en meer dan de helft van haar vegetarische schnitzel. Wijnand probeert de schijn op te houden dat hij nog steeds met smaak eet, Kelly prikt lusteloos een olijf aan haar vork. De voetstappen van Tirza klinken in een snel tempo op de trap. Ze loopt door de gang, via de keuken, naar de achterdeur. Ze kijken allemaal als ze naar de schuttingdeur rent alsof ze geen moment onbenut wil laten om calorieën te verbranden.

'Is het niet wat fris voor een shortje en hemdje?' De stem van Wijnand breekt de stilte. 'Tirza heeft het altijd koud.'

'Ze loopt zich misschien wel warm,' antwoordt Zita zacht. Haar blik laat het smalle figuurtje niet los totdat de deur achter haar dichtvalt.

'Volgens mij heeft Tirza anorexia.' Kelly legt haar vork neer. 'Ze vertoont in ieder geval alle symptomen.'

'Heb je dat pas geleerd, of zo?' Zita probeert het spottend te zeggen, maar het klinkt weifelend.

'Mam, je ziet toch zelf hoe ze met haar eten bezig is? Als het even kan, kookt ze zelf en laat ze het ons opeten. Ze sport als een bezetene.'

'Ze was eerst ook wel wat te zwaar.' Het klinkt bijna verontschuldigend.

'Tirza was nooit te zwaar!' merkt Wijnand verontwaardigd op. 'Ze was prachtig om te zien. Ik weet niet hoe je erbij komt dat ze te zwaar zou zijn geweest.'

'Ze was toch wat te zwaar,' houdt Zita vol, maar het klinkt niet overtuigd.

'Ze vond zichzelf in ieder geval wat te dik. Dat heeft ze mij verteld,' neemt Kelly het voor haar moeder op. 'Ze wilde er een paar kilo afhebben.'

'Hoeveel zouden die paar kilo ondertussen geworden zijn?' Wijnand kijkt peinzend naar de gesloten schuttingdeur. 'Ik schrok toen ik haar net zag. Meestal zie ik haar in truien en vesten, en daarmee weet ze het nog wat te verdoezelen, maar ze is gewoon eng mager.'

'Wijnand, zeg dat niet.' Zita staat op. 'Maak het niet erger dan het is.'

'Papa heeft gelijk.'

Van buiten klinkt het rinkelen van een fietsbel. Annabel staat voor het huis en steekt opgewekt haar hand op.

'Nu ben ik warempel toch weer laat,' moppert Zita. 'Kelly, wil jij...'

'Kelly en ik ruimen straks samen de tafel af. Je wilt zeker geen yoghurt meer?'

'Daar heb ik toch echt geen tijd meer voor. Annabel ziet me aankomen.' Ze steekt haar hand op naar Annabel en geeft met gebaren aan dat ze bijna klaar is. Dan haast ze zich naar boven, net zoals Tirza even daarvoor deed.

Vandaag voel ik me veel beter dan gisteren. Allereerst ben ik aangenomen op de kunstacademie, het is me gelukt om minder dan vijfhonderd calorieën naar binnen te werken, én ik heb lekker gesport. Het is prettig om dat in m'n dagboek op te schrijven en nog eens na te lezen. Wel jammer dat m'n moeder steeds meer zeurt over mijn eetgewoontes. Alsof ik een klein kind ben...

2

'HET BLIJFT TOCH ALTIJD RENNEN EN VLIEGEN ALS WE OM ZEVEN UUR op de sportschool moeten zijn,' zegt Annabel terwijl ze zich ver over het stuur buigt om de wind zoveel mogelijk te ontwijken. Haar stem klinkt vriendelijk, maar Zita weet zeker dat ze eigenlijk iets anders wil zeggen.

'Ik kan het niet helpen,' reageert ze verontschuldigend. 'Er is altijd wel iets waardoor het later wordt dan ik wil. Je mag in het vervolg wel vast gaan. Ik kan me voorstellen dat het niet prettig is om steeds dankzij mij op het nippertje binnen te rennen.'

'Zo erg is dat niet en ze zijn het op de sportschool inmiddels gewend dat we altijd de laatste zijn. Belangrijke mensen komen altijd wat later.' Annabel lacht om haar eigen grapje. Zita hijgt een beetje. De aangename temperaturen van de dag hebben plaatsgemaakt voor een kille avond, die nog niets van de lente in zich heeft. Ze vraagt zich af hoe andere vrouwen het klaarspelen om wel keurig om zeven uur in de zaal te staan. Zouden ze, net als Annabel, geen baan buitenshuis hebben? Of zouden ze hun baan beter met hun privéleven kunnen combineren?

Hoe komt het toch dat ze altijd het gevoel heeft dat ze tekortschiet? Ze kan Annabel nauwelijks bijhouden, haar keel voelt droog aan en haar hart slaat als een razende tegen haar borstkas. De dunne, knalblauwe sjaal van Annabel zwiert achter haar aan, alsof hij het gemak wil accentueren waarmee ze de wind trotseert. Af en toe kijkt ze opzij, de lach in haar ogen is gebleven. Annabel lijkt geen zorgen te hebben, al zegt ze vaak dat ze het vreselijk vindt dat Kenneth in Afghanistan zit.

Weegt dat op tegen een dochter met anorexia? Zou Tirza echt anorexia hebben? Had ze haar destijds niet moeten aanmoedigen om wat aan haar lijn te doen? Ze woog toch echt iets teveel?

Anorexia... Natuurlijk had dat woord al langer door haar hoofd gespeeld, maar ze wilde het niet geloven. Ze wil het nu nog niet geloven en ze gaat het zeker niet aan Annabel vertellen. 'Hé Zita, waar blijf je nou?' Annabel lacht. 'Nog even volhouden.' Annabel heeft veel meer reden tot lachen dan zij. Waarom lijkt de een in het leven voor het geluk geboren te zijn en de ander niet? Hijgend probeert ze het tempo wat op te voeren, maar ze kan niet verhinderen dat Annabel als eerste het brede pad naar de sportschool opfietst. Vervolgens rent ze bijna naar binnen, nadat ze eerst haar fiets in het rek heeft geplaatst. Zita volgt een stuk bedachtzamer.

Op het groene nestkastje, dat aan de schutting hangt, is een koolmees neergestreken. Tulpen buigen in de wind en het groen is fris, zoals het alleen in het voorjaar kan zijn. Tirza opent de schuttingdeur zonder oog te hebben voor de tekenen van de lente. Ze blijft even staan en haalt diep adem om haar bonkende hart weer een beetje tot bedaren te brengen. Als ze haar armen strekt en dan voorover buigt, vliegt de koolmees verschrikt weg. Tirza ziet het niet. Ze gaat rechtop staan met haar handen in de zij. Vandaag heeft ze zichzelf weer overtroffen en dat voelt goed. Ze is sterk, ze weet dagelijks steeds iets meer van haar lichaam te vragen. Niemand kan haar dat afnemen. Zij heeft het voor het zeggen. Alleen zij.

Tevreden buigt ze zich even later over haar profielwerkstuk. Nog een maand voor haar eindexamen. Het is de laatste hobbel voor haar vervolgstudie. Ze heeft er vreselijk tegenop gezien, maar nu ze is aangenomen op de kunstacademie heeft ze meer zelfvertrouwen gekregen. Op dit moment in ieder geval. Het kan maar zo weer omslaan.
Ze probeert haar aandacht bij het werkstuk te houden, maar al snel glijden haar ogen naar de schilderijen op haar kamer. De wanden hangen vol met eigen werk. 'Naargeestig,' typeert haar moeder de dingen die ze maakt. Haar blik blijft gevestigd op de schilderijen aan weerszijden van de grote spiegel. Aan de linkerkant hangt een doek

waarop een vrouwenfiguur, omhuld door donkere kleuren, is afgebeeld. Ze heeft brede heupen, een dikke buik en buitengewoon stevige benen. Haar gezicht ontbreekt. Haar vader had willen weten of het schilderij ook een titel had. Ze had hem op de mouw gespeld dat ze daar nog niet over had gedacht. In werkelijkheid heeft ze het 'Mijn angst' genoemd. De vrouw op het schilderij, meer lichaam dan gezicht, is zijzelf. Aan de andere kant hangt 'Mijn droom'. Ook daar is een vrouw te zien, maar haar hoofd staat op het ranke en elegante lijf van een springbok.

Als ze schildert, verdwijnt ze in een andere wereld. Een wereld die ze niet kan delen omdat niemand er iets van lijkt te begrijpen.

Ze herinnert zich nog zo goed hoe haar moeder reageerde nadat ze aangaf naar de kunstacademie te willen. 'En in armoede leven,' was het zure commentaar. 'Ik begrijp het niet. Je hebt straks je vwo-diploma en dan kies je voor een leven in armoede.'

Ze weet nog precies hoe het voelde, hoe de teleurstelling tranen in haar ogen veroorzaakte. Het was zelfs haar vader teveel geworden. 'Tirza zal straks best mogelijkheden vinden om op een andere wijze iets bij te verdienen,' had hij die harde, zure woorden trachten te verzachten. 'Ze kan les gaan geven en daarnaast schilderen. Wat is er mooier dan van je hobby je werk maken?' Ook hij begreep niet wat het voor haar betekende, maar hij deed in ieder geval zijn best.

Net als Jamina, die troostend beweerde dat ze vast een groot kunstenares zou worden. Kelly voegde daaraan toe dat ze altijd al een bijzonder mens was geweest en dat daar die studie uitstekend bij paste. De enige die weinig commentaar gaf was Floris, maar wat hij zei verwarmde haar. 'Schilderen is je leven. Je had niets anders kunnen kiezen.' Zo was het precies. Ze kan er zelf geen betere omschrijving voor bedenken.

Ze legt haar werkstuk aan de kant en maakt het zich gemakkelijk op bed. Met haar handen onder haar hoofd staart ze naar een zwart vlekje op het plafond, het bewijs dat daar laatst een spin lelijk aan zijn eind is gekomen. Vanuit de kamer van Kelly klinkt muziek, af en toe onderbroken door de stem van een te vrolijke, populaire deejay. Hoe is het mogelijk dat Kelly zich op haar studie kan concentreren met de radio aan? Het is goed mogelijk dat ze zelfs niet heeft gehoord dat Tirza weer thuis is gekomen, zo hard stond de muziek. Van haar vader was geen spoor te bekennen. Kelly zou wel weten waar hij uithing, maar ze heeft geen zin om het te vragen. Ze hoeft niemand te zien. Helemaal niemand. Laat haar vanavond maar in stilte trots zijn. Ze heeft van geen mens goedkeuring nodig. Ze heeft echt helemaal niemand nodig.

Het loopt al tegen negenen als Annabel thuiskomt, met haren die nog vochtig zijn van het douchen. In de kamer treft ze Olaf en Wijnand achter de laptop van Olaf. 'Heb je Zita niet meegenomen?' informeert Olaf.
'Ze wilde graag direct naar huis.' Het had Annabel zelf ook verbaasd. Na het sporten was het gebruikelijk dat ze nog een kopje koffie bij de sportschool dronken. Bij thuiskomst wipte Zita meestal wel even mee naar binnen om de sportieve avond met een glaasje af te sluiten. Vanavond had ze ineens te kennen gegeven dat ze liever direct naar huis wilde. Een reden had ze er niet voor opgegeven en Annabel had er niet naar gevraagd. Nu kijkt ze naar Wijnand alsof hij haar duidelijkheid zal kunnen verschaffen, maar hij blijft stoïcijns naar het beeldscherm kijken.
'Wat zijn jullie aan het doen?' wil ze weten.
'We zijn de route voor de zomervakantie aan het uitstippelen,' verklaart Olaf.
'Het duurt nog drie maanden voor we naar Italië vertrekken,' merkt ze verbaasd op. Ze gaat achter de mannen staan, haar blik glijdt over het beeldscherm.
'Je kunt het beter op tijd regelen. Vooral Olaf leidt een druk leven en we weten niet of we er later nog aan toekomen.' Wijnands blik laat het beeldscherm niet los.
Annabel trekt haar wenkbrauwen op. 'Jullie doen dat meestal een

week voordat we met vakantie gaan, dan heeft Olaf het niet zo druk meer.'

'We kunnen nu ook op tijd een hotel voor onderweg bespreken,' gaat Olaf verder. 'Je weet zelf dat het niet altijd makkelijk is om in het hoogseizoen een slaapplaats voor zeven personen te vinden.'

'Gaan Kelly en Tirza dan toch met jullie mee?' wil ze weten.

'Ja.' Wijnand kijkt haar niet aan.

'Ik meende dat Tirza niet zoveel zin meer had om mee te gaan? Jamina had het er laatst over. Ze wilde dit jaar eigenlijk ook thuisblijven, maar ik weet niet...'

'Jamina kan ook gewoon meegaan,' zegt Olaf. 'Je zult zien dat Tirza dan ook geen bezwaren meer heeft.'

'Misschien, als die twee meiden samen zijn en Kelly ook thuisblijft...' oppert ze voorzichtig.

'Nee, ik denk dat het beter is dat ze dit jaar nog eens meegaan.' Olaf zegt het op een manier die haar het tegenspreken belet. Onderzoekend kijkt ze hem aan, maar zijn blik verraadt niets en als ze naar Wijnand kijkt, lijkt hij nog steeds gevangen in het beeldscherm waar Google Earth de kaart van Italië weergeeft. Ze haalt haar schouders op. 'Zal ik maar een glaasje wijn inschenken?'

Haar voorstel wordt met instemming begroet.

Een uurtje later is Wijnand vertrokken met een adres voor onderweg en een vastomlijnde route.

'Is er iets aan de hand?' wil Annabel weten als Olaf de kamer weer binnenkomt.

Olaf haalt zijn schouders op.

'Je maakt me niet wijs dat jij er niets van weet. Zita was vanavond ook niet helemaal zichzelf. Tijdens de koffie was ze tamelijk stilletjes en ze wilde hier ineens geen glaasje wijn blijven drinken, zoals ze anders doet. Hadden Wijnand en Zita misschien ruzie?'

Olaf schenkt hun glazen nog eens vol. 'Van ruzie is geen sprake.' Hij gaat zitten om de computer af te sluiten. Zijn blik blijft aan het beeld hangen. 'Het gaat om Tirza,' legt hij dan uit. 'Wijnand heeft het me in vertrouwen verteld, dus ik wil ook graag jouw discretie.'

'Dat is toch vanzelfsprekend.'

'Zita en Olaf maken zich zorgen om Tirza.'

'Heeft ze problemen?' Ze leunt achterover in de fraaie notenhouten stoel, die in huize Meyerink gekscherend 'moeders zetel' wordt genoemd. Jaren geleden ontdekte ze hem ergens achter in een antiekzaak, verborgen onder een hoop rommel, schijnbaar vergeten. Ze had hem laten bekleden met een zware, helderrode stof, en in de was gezet. Zoals het lelijke eendje een zwaan was geworden, zo was de mottige stoel veranderd in een zetel.

'Ze zijn bang dat Tirza anorexia heeft.' Bedachtzaam laat Olaf de wijn door zijn glas draaien. 'Daar kan ik me iets bij voorstellen. Laatst viel het me namelijk op dat ze wel erg mager werd.'

'Ik heb er zelf ook weleens aan gedacht, maar ik durfde er tegen Zita niet over te beginnen. Bovendien, als ouders heb je dat toch zelf ook snel genoeg in de gaten?'

'Als het zo eenvoudig was, hadden ze het waarschijnlijk wel opgemerkt.'

'Ik weet het niet. Zita heeft natuurlijk altijd gewerkt en de kinderen zijn veel alleen geweest. Zelf meent ze altijd dat ze daar zelfstandig van zijn geworden, maar...'

'Ik geloof niet dat het daar ook maar iets mee te maken heeft.'

Ze schrikt van zijn harde stem. 'Nee, natuurlijk niet,' haast ze zich te zeggen. 'Ik vroeg het me alleen af. Tirza zal het waarschijnlijk onopvallend doen. Ze sport veel. Ik zie haar vrijwel iedere avond voorbijrennen.'

'En ze heeft het koken op zich genomen. Volgens Wijnand staat het eten meestel klaar als hij en Zita uit het werk komen. Ze weet precies te vertellen hoeveel calorieën de diverse ingrediënten bevatten en zelf eet ze er niet zoveel van.'

'Nu begrijp ik waarom Wijnand en Zita willen dat Tirza mee op vakantie gaat. Ze willen haar in het oog kunnen houden.' Naden-

kend kijkt ze Olaf aan. 'Ik vind het zo vreemd dat ze er tegenover mij met geen woord over rept. We delen toch altijd alles.'
'Misschien vindt ze het te moeilijk om erover te praten.'
'Denk je dat ik het zelf een keer moet aankaarten?' weifelt Annabel.
'Ik denk dat je er nog even mee moet wachten. Zita begint er binnenkort waarschijnlijk zelf wel over.'
'Ik zal Jamina er eens naar vragen. Zij ziet hoe Tirza zich op school gedraagt en wat ze daar eet.'
'Meng je er niet in, Annabel. Wijnand heeft me in vertrouwen genomen. Dat moeten we niet beschamen.'
'Nee, natuurlijk niet,' geeft ze toe, maar ze neemt zich voor om het er toch eens voorzichtig met Jamina over te hebben.

Met een druk op de knop legt Kelly de radio het zwijgen op en luistert aandachtig naar de geluiden in huis. Beneden klinken voetstappen op het laminaat. Ze slaat haar studieboek met een klap dicht, rekt zich loom uit en loopt de trap af.
'Wat ben jij vroeg,' begroet ze haar moeder die met een glaasje vruchtensap op de bank zit. 'Normaal gesproken zit je rond deze tijd nog bij oom Olaf en tante Annabel te borrelen.'
'Vanavond niet.' Het klinkt afgemeten.
'Je hebt toch hopelijk geen ruzie met tante Annabel of zo?'
'Waarom zou ik ruzie moeten hebben gehad?'
'Omdat het heel gebruikelijk is dat je na het sporten daar nog even iets gaat drinken. Papa zit er trouwens ook. Heb je hem nog gesproken?'
'Ik ben niet binnen geweest. Waar is Tirza? Ze is toch hopelijk al wel thuis?'
'Ik zal zo even boven kijken,' belooft Kelly. 'Heeft het met Tirza te maken dat je zo vroeg thuis bent? Maak je je zorgen?'
Zita haalt haar schouders op. 'Mijn hoofd stond er gewoon niet naar. Natuurlijk maak ik me zorgen. Ik heb geen idee hoe ik Tirza weer normaal aan het eten moet krijgen en ik neem het mezelf kwalijk

dat ik niet eerder heb ingegrepen. Ik zag het wel, maar stak m'n kop in het zand.'

'Er viel niets in te grijpen.' Kelly strijkt haar lange, blonde haar naar achteren.

Als Zita naar Kelly kijkt, ziet ze zichzelf in haar jonge jaren. Kelly is net zo slank, alleen een stuk zelfbewuster dan zijzelf in die tijd was. Het is vreemd om twee zulke verschillende dochters te hebben. 'Ik had meer met haar moeten praten,' zegt ze tegen Kelly. 'Ik had me niet met een kluitje in het riet moeten laten sturen. Als jij vanavond niet het woord anorexia had laten vallen, had ik nu nog gemeend dat het allemaal wel meeviel. Ik wilde het gewoon geloven.'

'Wat je ook zegt, Tirza zal volhouden dat er met haar niets aan de hand is.' Kelly gaat naast haar zitten. 'Tijdens mijn laatste stage hoorde ik over een meisje met anorexia dat in het ziekenhuis was opgenomen. Ze woog minder dan veertig kilo en probeerde haar familieleden nog voor te houden dat het allemaal wel meeviel. Anorexiapatiënten willen er zelf niet aan dat ze ziek zijn.'

'Ziek? Kun je het een ziekte noemen?'

'Ik weet niet onder welke noemer je het anders moet onderbrengen. Meisjes met anorexia zijn geestelijk ziek. Het zijn trouwens niet altijd meisjes, het gaat ook wel om oudere vrouwen of jongens.'

'Hoe komt het dan? Het was goed dat ze een beetje op haar lijn ging letten, maar ze is zo doorgeslagen.'

'Er kunnen zoveel redenen zijn. Misschien heeft het vooral met haar lage zelfbeeld te maken.' Kelly staat op.

'Ze heeft anders haar mondje wel op de goede plaats.'

'Dat zegt niets. Jij weet net zo goed als ik dat ze barst van onzekerheid. Ze ziet zich waarschijnlijk als veel dikker dan ze in werkelijkheid is.'

'Ik snap er niks van, maar dat zal wel aan mij liggen. Ik heb haar nooit echt begrepen. Gek is dat, dat je als moeder een dochter hebt die je niet kunt begrijpen. Je zou toch denken dat...'

'Soms is dat gewoon zo,' valt Kelly haar in de rede. 'Ik zal boven eens

kijken hoe het met haar gaat. Het is daar wel erg stil en ik kan me niet voorstellen dat Tirza nog niet thuis is.'
'Vraag anders of ze nog even wat met ons komt drinken. Misschien wil ze dat. Drinken kan toch geen kwaad? We hebben ook light. Ik weet niet of ze dat wil natuurlijk. Ik weet bij Tirza nooit wat ze wil. Ze schildert ook van die rare dingen. Vind jij het mooi wat ze schildert? Ik vind het gewoon luguber.'
Kelly zucht. Ze weet niets te antwoorden, maar haar moeder lijkt dat ook niet te verwachten.

Als Kelly even later op Tirza's kamerdeur klopt, hoort ze niets. Voorzichtig opent ze de deur. Tirza ligt languit op bed, een dik fleece vest om zich heen geslagen. Zelfs nu ze slaapt, ziet ze er nog kouwelijk uit. Op haar tenen loopt ze in de richting van het bed en kijkt neer op haar slapende zusje. Haar rossige haren liggen warrig rond haar smalle gezicht. Ze lijkt zo jong, veel jonger dan de achttien jaar die ze telt. Nu ziet ze weer het kleine meisje dat op zondagmorgen stiekem bij haar in bed kroop. Samen konden ze giechelen om niets en ze deelden hun diepste geheimen. Niemand mocht iets verkeerds van Tirza zeggen, dan kregen ze met haar te doen. 'Twee handen op één buik', waren ze volgens haar moeder. Vaak speelden ze met z'n tweeën, maar ook met z'n vijven. Tirza, zij, Kenneth, Floris en Jamina. Doordat ze zo vaak samen waren, leken ze één grote familie. Samen brachten ze eerste kerstdag door, hun ouders bakten gezamenlijk oliebollen en met z'n allen luidden ze het oude jaar uit. Ze gingen samen op vakantie. Met z'n vijven verkenden ze onbekende oorden. Ze zwommen, bezochten bezienswaardigheden, beklommen bergen. Ze herinnert zich nog goed die zwoele zomeravond op een Deens strand. De maan was vol en gaf het water een zilveren glans. Haar moeder en tante Annabel hadden wijn en frisdrank meegenomen, er waren chips en nootjes. Ze herinnert zich dat als een feestelijke avond waarop ze zich nauw verbonden voelde met al die mensen die ze lief had. Samen, onlosmakelijk met elkaar verbonden als één grote familie, waren dat gouden herinneringen geworden.

De laatste jaren was er in dat opzicht veel veranderd, al had de vriendschap tussen Jamina en Tirza standgehouden. Kenneth en zij gingen niet zoveel meer met elkaar om. Toch was hun verstandhouding goed gebleven. Sinds hij in Afghanistan zat, was ze begonnen hem te mailen. Vanaf die tijd leken hun contacten weer intensiever te worden. Wat hij niet aan zijn ouders vertelde, zette hij voor haar in zijn e-mails.

Alleen Floris bleef buiten de boot vallen. Ze wist nooit precies wat ze aan hem had, als kind al niet. Hij hing er maar wat bij wanneer ze met z'n vijven waren. Tegenwoordig leek het of Tirza een beetje op Floris ging lijken. De vertrouwelijkheid tussen hen was weg. Tirza trok zich terug in haar eigen wereld. Zou het te maken hebben met de opleiding die ze gaat volgen?

Daarin had haar moeder gelijk. De dingen die ze schilderde, waren voor een normale sterveling onbegrijpelijk.

Kelly laat haar blik langs de muren van de slaapkamer dwalen. Ze hangen boordevol schetsen, pentekeningen en schilderijen. Allemaal werk van Tirza. Tekenen was altijd haar sterke punt geweest. Zoals een ander fotografeerde, schetste Tirza. Aanvankelijk waren het vrolijke en grappige taferelen, maar de laatste tijd was daar verandering in gekomen. Eerst had ze gedacht dat het te maken had met haar toelatingsexamen voor de kunstacademie. Later bleek dat ze het meeste werk niet eens had meegenomen. Er was iets anders met haar zusje aan de hand. Iets waardoor ze alleen nog maar donkere kleuren gebruikte en bijna beangstigende figuren uitbeeldde.

'Wat doe je?'

Het is haar niet opgevallen dat Tirza haar ogen heeft geopend. Met een ruk draait ze zich om, alsof ze betrapt is op iets onbetamelijks. Vanonder haar slaperige, gezwollen oogleden neemt Tirza haar belangstellend op. 'Stond je hier al lang?'

Tirza gaat rechtop zitten, trekt het vest aan en wrijft haar benen. 'Het

was eigenlijk de bedoeling dat ik verder zou gaan met m'n profielwerkstuk, maar ik was zo moe...' Ze gaapt hartgrondig.

'Ik stond hier al een poosje naar je schilderijen en tekeningen te kijken,' bekent Kelly. 'Het is toch wel super dat je bent aangenomen op
die academie. Dan moet je wel echt goed zijn.'

'Dat is het hem nou juist. Daar twijfel ik over. Stel je nou eens voor
dat ze straks ontdekken dat ik toch niet goed genoeg ben?'

'Dat hadden ze dan tijdens het toelatingsexamen wel ontdekt. Jij
kunt prachtig tekenen. Als klein meisje deed je al niets liever. Je
tekende altijd hele stripverhalen voor ons, weet je nog?'

'Over de haasjes Slimpie en Slampie,' herinnert Tirza zich. 'Ik moet
die nog wel ergens hebben liggen.'

'Je schreef ook wel toneelstukjes die we dan met z'n vijven opvoer-
den voor papa en mama en oom Olaf en tante Annabel.'

'Dat was geen onverdeeld succes. Ik had het beter gewoon bij tekenen kunnen houden.'

'Niet zo bescheiden. Je kon het beter dan wij met z'n vieren bij
elkaar. Het probleem was vooral dat we drie keer op een dag een
toneelstukje wilden opvoeren en dat was voor ons publiek net iets te
veel van het goede. Wij deden met z'n allen wel erg ons best.' Kelly
grinnikt. 'Het waren mooie tijden. Best jammer hoe dat allemaal
veranderd is. Ook tussen ons tweeën.'

Tirza kijkt alsof ze het niet begrijpt.

'Kom op Tir, je weet best wat ik bedoel. Met z'n tweeën hadden we
altijd zo'n goede band.' Ze gaat naast Tirza op de rand van het bed
zitten en als vanzelf legt ze haar hand op de schouder van Tirza,
bedekt onder rood fleece. De dikke stof kan niet verhullen hoe
mager haar zusje aanvoelt. Ze schrikt ervan, maar doet haar best om
het niet te laten merken. 'Ik zou willen dat het weer terugkwam,'
merkt ze op. 'Ik kan af en toe zo naar vroeger verlangen.'

'Misschien moet je dat van je afzetten. Ieder mens heeft de neiging
om vroeger te idealiseren en bovendien zal het nooit terugkomen.'
Tirza schuift ook naar de rand van het bed. 'Wat voorbij is, is voor-

bij,' zegt ze luchtig. 'Onze levens zijn veranderd. Jij bent met hele andere dingen bezig dan ik.'

'Dat hoeft ons er toch niet van te weerhouden om vertrouwelijk met elkaar om te gaan? Weet je nog dat we elkaar alles vertelden?'

Tirza haalt haar schouders op.

'Tir, dat weet je toch nog wel? Waarom vertel je me nu niets meer? Waarom vertel je me niet hoe het komt dat je jezelf uithongert?'

'Waarom overdrijft iedereen zo? Als ik mezelf zou uithongeren, was ik toch veel te zwak om nog te sporten? Ben ik ooit ziek? Laatst lag het grootste deel van de klas met griep in bed, maar ik heb nergens last van gehad. Ga me dus niet vertellen dat ik verkeerd bezig ben. Ik zit helemaal op de goede weg.'

'Je weet dat ik niet overdrijf. Je bent gevaarlijk mager, je hebt het altijd koud. Ben je eigenlijk nog wel ongesteld?'

'Als je zo doorgaat, wordt het helemaal nooit meer iets met de vertrouwelijkheid tussen ons.' Tirza probeert te lachen, ze omarmt zichzelf in een poging warm te worden.

'Weet je wat het is?' Kelly negeert haar opmerking. 'Ik heb er inmiddels te veel over gehoord. Tirza, je kunt er dood aan gaan. Je hart kan het opgeven.'

'Zover laat ik het heus niet komen.'

'Stop er dan nu mee. Je bent mijn fantastische zus en ik ben trots op je.'

'Waarom zou je trots op me zijn? Dat zeg je nu omdat je wilt dat ik stop met lijnen. Je bent nog nooit trots op me geweest.'

'Dat zeg ik omdat ik het meen! En ja, ik wil dat je ermee stopt, want het is levensgevaarlijk.'

'Je doet zo dramatisch. Ik zit nu gewoon op de goede weg. Er moet nog maar een klein beetje gewicht vanaf. Ik weet wel waar ik mee bezig ben, Kel. Je moet je niet zo overstuur maken. Toe, niet huilen. Kelly, stop daar nou mee.'

Ze kan niet stoppen. Haar tranen laten zich niet tegenhouden, hoe ze haar best ook doet. Ze heeft er te veel over gehoord en vanaf dat moment is ze bang geweest. Haar zusje mag niet worden zoals dat meisje op interne geneeskunde dat gedwongen sondevoeding kreeg, en bleef beweren dat er niets aan de hand was.

'Je bent mijn enige zus,' zegt ze nu zachtjes. 'Ik wil je niet kwijt, ik wil je echt niet kwijt.'

Als ze naar Tirza's gezicht kijkt, leest ze onbegrip in haar ogen. Tirza begrijpt het niet, ze wil het niet begrijpen en dat maakt haar onbereikbaar.

Kelly kan het niet langer verdragen. Ze stikt in deze kamer met die wanstaltige schilderijen, ze stikt in dit huis. Ze moet naar buiten.

En niet alleen mijn moeder bemoeit zich ermee. Kelly was vanavond helemaal in tranen omdat ik volgens haar gevaarlijk bezig ben. Nou, ik weet heel goed waar ik mee bezig ben. Ik heb laatst een meisje op televisie gezien met anorexia. Die zag er pas ongezond uit. Zo wil ik helemaal niet worden. Ik wil het wel steeds weer in dit dagboek opschrijven: het gaat goed met me!

3

DIE ZONDAGMORGEN ZITTEN ZE IN DE KERK ZOALS ZE DAT AL JAREN gewend zijn. Annabel, Olaf, Zita en Wijnand naast elkaar in de negende bank van voren. Kelly zit in de bank achter hen, terwijl Jamina en Tirza elders in de kerk zitten. Als kind zaten ze in de rij naast hun ouders. In het geval van teveel praten of giebelen, grepen de volwassenen in. Dan moesten ze tussen de beide ouderparen gaan zitten. Meestal verminderde het gegiebel er niet door.

Het orgel jubelt, de gemeente zingt. Zita zingt zacht mee. Naast haar klinkt de welluidende stem van Annabel.

Als het lied ten einde is, vraagt de predikant de kinderen bij hem te komen voor ze naar de kindernevendienst gaan. Ouders schuiven opzij om hun kroost door te laten. Sommige kinderen geven timide gehoor aan de oproep van de predikant. Anderen lopen onbevangen naar voren, een meisje huppelt.

Zita ziet hoe Annabel haar hals rekt om maar niets van het tafereel voor in de kerk te hoeven missen. Ze lacht hard als een van de kinderen iets grappigs vertelt. Wijnand lacht ook. Vanuit haar ooghoeken merkt ze op dat hij vervolgens naar haar kijkt. Hij lacht niet langer. Zijn blik rust even bezorgd op haar, voor hij opnieuw de gebeurtenissen elders in de kerk volgt.

Het is tijd voor de kindernevendienst. De kinderen verlaten de kerk, achter de leiding aan waarvan ook Jamina deel uitmaakt. Ze heeft een paar kinderen bij de hand genomen en loopt voor de rest uit door de geopende deur. Een van de kinderen zegt iets. Jamina gooit haar hoofd achterover en lacht. Er knijpt iets in Zita's keel. Jamina wel. Tirza niet.

Zita weet Tirza nu alleen op haar plekje in de kerk. Het lijkt nog helemaal niet zo lang geleden dat de kinderen zelf naar de kindernevendienst gingen. Jamina liep altijd voorop, daarachter volgde

Tirza, een stuk minder enthousiast. Aan het einde van de dienst kwamen ze op dezelfde manier de kerk binnen. Jamina zocht stralend het plekje naast hen weer op. Tirza volgde, veel rustiger. Tirza is tegenwoordig niet zo stilletjes meer, maar haar enthousiasme voor de kindernevendiensten is niet of nauwelijks toegenomen.

Deze kerk zit vol herinneringen. Zowel Olaf en Annabel als zij en Wijnand trouwden hier. Later stonden ze om de beurt bij de fraaie doopvont. Jamina en Tirza werden tijdens dezelfde dienst gedoopt omdat de meiden maar drie weken met elkaar scheelden.

Het voelde heel speciaal om daar met twee gezinnen rond de doopvont te staan, alsof ze één grote familie waren. Zo had dat altijd aangevoeld. Samen vormden ze één grote familie.

Uit de kerk was het gebruikelijk om samen koffie te drinken. De ene week gebeurde dat bij Olaf en Annabel, de week erop waren zij aan de beurt. Na de geboorte van Kenneth waren ze ermee begonnen, en alleen voor noodzakelijke verplichtingen elders weken ze ervan af. Wijnand had weleens gezegd dat hij meer met Annabel en Olaf had dan met zijn eigen zus en zwager.

Tot een jaar of drie geleden had er tussen hun adressen een fietsafstand van een kwartier gelegen. Sinds hun verhuizing naar de hagelnieuwe wijk van Emelwerth, was dat veranderd. De opzet van de wijk sprak Zita en Wijnand destijds aan en ze kochten er de fraaie hoekwoning van een rij van zeven in de Maretakstraat. Ze bespraken de bouwtekeningen en de huizenprijzen met Annabel en Olaf. Op zondagmiddag wandelden ze met z'n tweeën, maar vaak ook met z'n vieren, naar de plek waar hun woning moest komen. Wijnand fotografeerde de voortgang van de bouw. Ze liepen over het kille beton en Zita deelde de woonkamer alvast in. In die tijd werd er nog volop gebouwd. Wijnand wist precies te vertellen dat de Maretakstraat een heel eind zou doorlopen en dat er vier verschillende typen woningen kwamen.

Het was niet heel lang daarna dat Olaf en Annabel, tijdens hun wekelijkse koffievisite, informeerden of ze er bezwaar tegen hadden als ze in dezelfde straat kwamen wonen. Zita was enthousiast, Wijnand niet minder.

Zita herinnert zich nog wel dat ze even moest slikken toen bleek dat Olaf en Annabel een ruime vrijstaande woning op het oog hadden. Wijnand had geen begrip voor haar gevoelens. Het was toch logisch? Het huis dat Olaf en Annabel verkochten was toch ook al veel rianter dan dat van hun?

Ze schaamde zich ervoor dat er bij haar toch iets van afgunst was blijven hangen. Het voelde alsof ze ineens minder blij was met hun eigen woning, alsof de glans was verdwenen. Dat Annabel steeds maar naar voren bracht dat zij toch ook een schat van een huis hadden, maakte het er niet beter op.

'En zo gaan wij op weg naar Pinksteren,' eindigt de predikant. 'Amen!'

Na de dienst fietsen ze met z'n vieren naar de fraaie woning van Annabel en Olaf.

'Vanmorgen hebben ze me weer gevraagd voor de jeugdsoos,' zegt Jamina, terwijl ze nog een brownie van de schaal neemt. 'Heb je die zelf gebakken, Tir?' wil ze weten en op Tirza's instemmende geknik: 'Ze zijn echt lekker.' Ze neemt een hap en kijkt afwachtend naar Tirza. 'Heb jij ze zelf wel geproefd?'

'Natuurlijk.'

Jamina leunt achterover op de bank. 'Ik heb het niet gezien.'

'Je was er ook niet bij toen ik ze bakte.'

'Dat is waar, maar ik bedoelde eigenlijk dat ik het nu niet had gezien. Niets is lekkerder dan na kerktijd koffie met een dikke koek.'

'Voor jou, ja.'

'Vind jij mij eigenlijk dik?' Jamina springt op en trekt haar shirt strak om haar buik.

'Nee, jij bent helemaal niet dik.'

'Ik ben dikker dan jij, weet je dat?'

'Zo ziet het er niet uit. Wat had je nou over die jeugdsoos?'

Jamina zakt weer op de bank. Ze doet of ze niet merkt dat Tirza van onderwerp verandert. 'Thijs en Manon van de kindernevendienst gaan op zondagmiddag altijd naar de jeugdsoos van de kerk. Het schijnt heel gezellig te zijn en ze hebben al een paar keer gevraagd of ik ook kom.'

'Dan doe je dat toch?'

'Ik wil graag dat je meegaat.'

'Ik hou daar niet van.' Tirza heeft haar armen beschermend rond haar lichaam geslagen, haar linkerbeen wipt voortdurend op en neer. Na verloop van tijd wisselt ze dat af met het rechterbeen. Haar kaken malen onophoudelijk. Sinds kort kauwt ze eindeloos kauwgom. Het irriteert Jamina, maar ze probeert het niet te laten merken. 'Meestal zijn we op zondagmiddag samen. Ik vind het vervelend om je in de steek te laten.'

'Zo moet je het niet zien. Je hoeft je echt niet verplicht te voelen om me gezelschap te houden.'

'Ik voel me nooit verplicht, maar het lijkt me zo leuk om op zondagmiddag met anderen te bomen over geloofszaken. Hoe breng je bijvoorbeeld je geloof in praktijk? Wat betekent het tegenwoordig om christen te zijn?'

'Ga nou maar gewoon. Ik vind het helemaal niet erg om op zondagmiddag een keer alleen thuis te zijn.'

'Waar is Kelly eigenlijk?' schakelt Jamina over naar een ander onderwerp.

Tirza haalt haar schouders op. 'Op haar kamer, geloof ik.'

'Hebben jullie ruzie of zo?'

'Zoiets. Wil je nog een kopje koffie?'

Jamina weet een zucht te onderdrukken. 'Doe maar,' zegt ze wat moedeloos. Haar blik volgt even later de trage handelingen van Tirza. Ze wil vragen of ze kan helpen, maar ze bijt op haar lip en zwijgt. Het duurt lang voordat de koffie ingeschonken is. Jamina kan het niet laten om Tirza toch naar de keuken te volgen. Ze drentelt heen en weer terwijl Tirza het koffiepadapparaat van pads voorziet en er kopjes onder zet.

'Is Kelly een beetje op Kenneth, of lijkt dat zo?' wil ze weten.

Tirza haalt haar schouders op.

'Ik heb het idee dat ze wel heel veel belangstelling voor zijn wel en wee in Afghanistan aan de dag legt.'

'Dat is toch niet zo raar? We willen allemaal weten hoe het met hem gaat. Kenneth is bijna een broer voor ons.' De kopjes zijn vol. Tirza slaat Jamina's aanbod af om haar eigen kopje naar de kamer te dragen.

'Ik zou het eigenlijk best leuk vinden,' draaft Jamina door terwijl ze achter Tirza terugloopt naar de kamer. 'We zijn al bijna zussen, we zijn met elkaar opgegroeid en dan zou Kelly ook nog mijn schoonzus worden. Zie jij niets in Floris?'

'Floris heeft al een vriendin.'

'Bedoel je Claudia? Dat is alweer voorbij. Ze paste totaal niet bij Floris, ze was altijd met haar uiterlijk bezig. Hij houdt daar helemaal niet van.'

'Ik zie niets in Floris.'

'Dat is jammer, het leek me echt leuk als wij schoonzussen zouden worden. Floris is ook zo'n denker, net als jij.'

'Zullen we erover ophouden?'

'Ik ben een enfant terrible, hè? Ik weet altijd de verkeerde dingen te zeggen. Maar weet je wat het is, Tir... Het is soms net of we uit elkaar groeien. Ik weet tegenwoordig vaak niet eens meer waar we over moeten praten en we zaten samen nooit om woorden verlegen. We waren altijd zo close, we hadden geen geheimen voor elkaar. Ik heb nu al een tijd het gevoel dat er iets verandert. Jij bent met andere dingen bezig en ik kan je daarin niet volgen. Het is net of je een luikje hebt dichtgeslagen waardoor ik geen contact meer met je kan krijgen. Het beangstigt me, je bent zo met eten bezig...'

'Hé, hebben jullie al koffie gehad?' Ze hebben Kelly niet aan horen komen.

'Wil jij ook koffie?' Tirza staat weer op.

Jamina zucht. 'Misschien kunnen we straks met z'n drieën dat woordspel spelen dat jullie laatst hebben gekocht,' stelt ze voor. Er valt toch niets meer te zeggen.

'Hebben jullie de zomervakantie al met jullie dochters besproken?' wil Annabel weten, als ze na kerktijd haar verse, gevulde koek van de warme bakker heeft weggewerkt. Wijnand schudt zijn hoofd. 'Het is er nog niet van gekomen. Misschien komt het wel omdat we er een beetje tegenop zien.' 'Het staat in ieder geval vast dat Kelly niet meegaat.' Zita neemt een klein hapje van de enorme koek. 'Ze is negentien, ik kan haar niet meer dwingen om mee te gaan. Het gaat dus alleen om Tirza. Ik wil niet dat ze thuisblijft.' 'We hebben Jamina gepolst,' zegt Annabel. 'Ze was er eigenlijk direct voor te vinden, en al helemaal toen we haar beloofden dat wij nog een keer voor vakantiegeld zullen zorgen. Uiteraard hebben we haar op het hart gedrukt om nog niets tegen Tirza te zeggen.' 'We zullen binnenkort echt met haar praten.' Zita legt haar koek terug op het schoteltje. 'Vind je het niet lekker?' Annabel trekt haar wenkbrauwen op. 'Natuurlijk wel, maar ik eet niet zo snel.' 'Niet iedereen kan zo bunkeren als jij,' plaagt Olaf. 'Ik bunker niet. Meestal ben ik heel matig, maar ik vind dat ik op zondagmorgen best mag genieten van een lekkere koek.' 'Er is niemand die je dat betwist, het was maar een grapje, Annabel.' 'Nou ja, ik moet wel een beetje oppassen en voor de zomer mogen er wel een paar kilootjes af, maar het is allemaal zo lekker.' Ze kijkt bijna beschuldigend naar Zita. 'En jij kunt eten wat je wilt, je blijft maar zo'n mooi figuur houden.' 'Daar vergis je je in,' weet Wijnand te melden. 'Zita is altijd erg met haar gewicht bezig. Ze houdt het nauwlettend in de gaten.' 'Nou ja, wat er niet aan zit, hoeft er ook niet af.' Het voelt alsof ze zich moet verdedigen. Lijkt het nu zo of kijkt Annabel haar beschuldigend aan?

Wijnand had tegenover Annabel en Olaf gewoon niets over Tirza moeten zeggen. Ze voelt zich de hele morgen al ongemakkelijk, al heeft Annabel noch Olaf er een woord over gezegd. Het hinderde toch niet dat ze een beetje op haar gewicht lette? Annabel woog veel meer dan zij. Als ze naast Annabel liep, voelde ze zich wel vijf jaar jonger omdat ze er zoveel slanker en vlotter uitzag. Bovendien is het gezond om niet te veel te wegen. Waarom is het nu net of iedereen aan Tirza denkt? Zij is toch niet geobsedeerd door haar lijn? Zij heeft Tirza toch niet gedwongen?

'Gek,' hoort ze Annabel zeggen. 'Nu ga ik me bijna schuldig voelen omdat ik die koek wel met zoveel smaak heb opgegeten.'

'Nou lieverd, dat zou ik maar niet doen. Ik vind je nog altijd mooi zoals je bent, met al die extra kilootjes die er in de loop der jaren bij gekomen zijn.' Olaf staat op en legt even zijn hand op haar schouder. 'Zal ik jullie dan nog maar een kop koffie inschenken?'

Het is net of er iets in de lucht blijft hangen, een spanning die ze nog nooit eerder hebben gevoeld. Woorden worden niet uitgesproken en ineens moet er gezocht worden naar een onderwerp van gesprek. Ze praten met elkaar zonder iets te zeggen. De vrolijke onbevangenheid die altijd de zondagmorgen kenmerkte, laat het vandaag helemaal afweten.

'Wat ben je toch geprikkeld,' merkt Wijnand verwijtend op als ze een uurtje later vanaf de Meyerinks in de richting van hun huis lopen. De dag ademt voorjaar uit met de zon die steeds meer kracht krijgt. Zita's jas hangt open, haar zwarte sjaal hangt nonchalant rond haar hals.

'Hoezo, geprikkeld?'

'Nou, met die koek bijvoorbeeld. Je reageerde alsof er iets vreselijks tegen je gezegd werd.'

'Ik zag toch hoe Annabel keek.'

'Hoe keek ze dan?'

'Waarom merken mannen zoiets nooit op? Jullie zien nooit iets, jullie begrijpen niets.'

'Misschien zie jij wel meer dan er is.'

'En jij moest ook nog zo nodig olie op het vuur gooien.'

'Wat bedoel je?'

'Zita is altijd erg met haar gewicht bezig,' bauwt ze zijn opmerking van even daarvoor na.

'Dat is toch waar?'

'Dus het ligt aan mij?'

'Wat ligt aan jou?'

'Dat Tirza nu ook zo met haar gewicht bezig is?'

'Dat heb ik toch niet gezegd?'

'Nee, maar dat zullen Olaf en Annabel wel denken.'

'Kom op, Zita. Hoelang kennen we Olaf en Annabel nu al? Annabel meende zelfs dat jij slank bleef zonder er iets voor te laten.'

'Zag je dan niet hoe ze keek toen jij dat zei?'

'Ze keek verrast omdat ze meende dat je er niets voor hoefde te doen. Je weet toch dat Annabel altijd met haar gewicht tobt. Er is werkelijk niemand die jou de schuld geeft van het feit dat Tirza problemen heeft. Misschien toch, misschien geef jij jezelf de schuld.'

'Ik heb het eens gelezen. Dochters met anorexia hebben vaak moeders die ook erg met hun lijn bezig zijn.'

'Waar heb je dat gelezen?'

'Ik weet het niet meer.'

'Er zijn zoveel theorieën. Meestal worden ze later weerlegd.' Zijn hand zoekt de hare. 'Schuldgevoelens hebben geen zin.' Haar hand voelt koud aan. 'Het is helemaal niet verkeerd om wat op je gewicht te letten en ik heb nog nooit het idee gehad dat je erdoor geobsedeerd was. Mijns inziens heb je het nooit aan Tirza opgelegd. Beide meiden zijn in ons gezin opgegroeid. Waarom heeft Kelly dan geen problemen op dat gebied?'

Zijn hand voelt geruststellend vertrouwd rond de hare. 'Schuldgevoel lost niets op,' hoort ze hem zeggen. 'We moeten met Tirza praten. We moeten haar vertellen hoe bezorgd we zijn en haar voorleggen dat we graag willen dat ze nog een jaartje met ons mee op vakantie gaat. Als ze daar problemen mee heeft, kunnen we niet anders dan haar vertellen dat we erop staan dat ze meegaat. Anorexia is een gevaarlijke ziekte en we kunnen niet langer onze ogen sluiten.' Er slaat een vink aan in een van de jonge esdoorns die de nieuwbouwwijk een groen aanzien moeten geven. Ondanks de afwezigheid van de zon en de frisse temperaturen duidt alles erop dat het lente wordt. De rode zee van tulpen in hun voortuin deint zacht mee op de wind. Wijnand wrijft met zijn duim over de rug van zijn hand. 'Zie je dat het voorjaar wordt? Voor mij is de lente altijd een jaargetijde van hoop. We moeten ons niet te veel zorgen maken. Misschien kunnen we haar stoppen. Ze moet weten dat we van haar blijven houden, dat wij haar mooi vinden zoals ze is, denk je niet dat het dan toch nog een prachtige zomer kan worden?'

Hij trekt haar mee naar binnen waar Kelly, Tirza en Jamina aan de grote tafel een gezelschapsspel spelen. Ze hoort nog net de hoge lach van Tirza als antwoord op iets wat Jamina zegt. Er laait iets van hoop in haar op. Misschien heeft Wijnand gelijk, misschien kunnen ze haar nog stoppen.

Na het eten kruipt Zita in de grote leren kuipstoel die voor het raam staat en probeert haar aandacht bij een roman te houden. Het verhaal is interessant genoeg, maar weet haar toch niet te boeien.

Vanuit haar zonnige hoekje ziet ze Olaf en Annabel langskomen, hij heeft zijn arm lichtjes onder haar elleboog gestoken, tegelijk steken ze hun hand op als ze haar gewaarworden. Hoe vaak had Annabel zich niet over Olaf beklaagd tijdens het sporten, of als ze samen koffiedronken of een eind wandelden? Ze vond dat Olaf veel te vaak niet thuis was en daardoor draaide zij overal alleen voor op. Ze klaagde over de idealen die hij verkwanseld zou hebben. In haar ogen draait het in zijn baan als directeur bij de gemeente alleen maar om geld verdienen. Natuurlijk profiteert zij daar ook van. Zij kon elke middag met een pot thee op de kinderen wachten als ze uit school kwamen. Zij heeft een hulp in de huishouding en koopt haar kleding in exclusieve modezaken. Toch had ze het zich allemaal anders voorgesteld. Ze was verliefd geworden op een man die vocht voor zijn idealen. Steevast kwam dan de vraag of Zita zich nog herinnerde hoe fanatiek hij in zijn jonge jaren protesteerde tegen kruisraketten of tegen de wapenwedloop in het algemeen. Vaak was hij drukker met actievoeren dan met studeren.

En óf Zita zich dat nog herinnerde. Ze wist heel precies hoe Olaf vroeger was geweest. Het was een onderwerp wat tussen hen nooit meer ter sprake kwam, maar zij kende Olaf al langer dan Annabel. Olaf had indruk op haar gemaakt toen ze elkaar heel toevallig in een boekhandel tegen het lijf liepen. Hun handen hadden tegelijk naar hetzelfde boek gereikt waarvan ze zich de titel allang niet meer herinnerde. Ze moesten erom lachen en Olaf had gezegd dat zij het wel mocht hebben, maar zij stond erop dat hij het zou nemen. Uiteindelijk hadden ze een andere oplossing gevonden. Olaf zou het boek kopen en daarna aan haar uitlenen.

Hij had het al snel uit.

Ze herinnerde zich nog zijn onbeholpen telefoontje en de opgetrokken wenkbrauwen van haar moeder. 'Olaf Meyerink? Is hij nog familie van de Meyerink van dat advocatenkantoor?' Ze moest het antwoord schuldig blijven, maar 's avonds verzonk ze in het rokerige café dromerig in de donkere ogen van Olaf.

Het was er niet van gekomen om het boek te lezen. Ze had Olaf nooit opgebiecht dat ze alleen belangstelling voor de titel had omdat ze Annabel er iets over had horen zeggen. Hun werelden verschilden al zoveel van elkaar en ze wilde deel uitmaken van de zijne.

Olaf studeerde op z'n tijd, maar dacht vaker na over de wereld en hoe hij die zou kunnen veranderen. Voor haar had die wereld tot dat moment alleen uit het kringetje bestaan waarin ze zich veilig voelde. Haar werk als secretaresse, het uitgaan in het weekend en thuiskomen in haar ouderlijk huis, waar ze na het overlijden van haar vader alleen met haar moeder woonde. Olaf spotte met haar leven. Hij stak de draak met haar baan als secretaresse, maar toch had zij het gevoel dat ze bij elkaar hoorden.

In haar naïviteit meende ze dat hij hetzelfde voelde.

Een week nadat hij met Annabel kennis had gemaakt, op het feestje dat ze ter ere van haar eenentwintigste verjaardag gaf, had hij het uitgemaakt. Ze herinnerde zich nog wat hij had gezegd toen hij haar na het feestje thuis bracht. 'Wat een intelligente vriendin heb jij.' Alsof hij niet kon begrijpen dat zo'n gans als zij was, zulke vriendinnen kon hebben.

Ze slaat het boek dicht, staart naar buiten, waar koolmezen zich in de uitbottende pruimenboom vermaken.

Het is stil in huis. Kelly was naar een vriendin gegaan, Wijnand heeft zich achter zijn computer verschanst en Tirza zit op haar kamer. Op zondagmiddag was ze altijd samen met Jamina. Het had haar verwonderd dat Jamina 'Tot morgen!' had geroepen toen ze weg was gegaan. 'Komen jullie vanmiddag niet bij elkaar?' had ze gevraagd. 'Jamina heeft andere afspraken,' was het enige wat Tirza kwijt wilde. Ze had het er maar bij gelaten. Het zou wel weer goed komen. Net zoals Jamina en Tirza, waren ook Annabel en zij hartsvriendinnen geweest die af en toe wat minder met elkaar optrokken. Later zochten ze elkaar weer op. Zo was het ook gegaan na de affaire met Olaf. Annabel, de onverbeterlijke flapuit, had na het bewuste feestje met geen woord over hem gesproken. Misschien had Zita juist daarom ogenblikkelijk geweten wie de gelukkige was toen Annabel kort daarna schoorvoetend opbiechtte dat ze een vriend had.

Eigenlijk was het een wonder dat hun vriendschap niet ten onder was gegaan. Ze had zichzelf voorgehouden dat het beter was, dat Annabel en Olaf veel beter bij elkaar pasten. Ze had Annabel ook op die manier gerustgesteld toen ze kampte met schuldgevoelens. IJskoud had ze beweerd dat ze het zelf op korte termijn zou hebben uitgemaakt als Olaf dat niet had gedaan. Zo had ze Annabel en zichzelf zand in de ogen gestrooid. Van de immense pijn die de breuk haar deed, had ze nooit iets verteld. Een jaar later ontmoette ze Wijnand, in niets te vergelijken met Olaf. Ook haar verliefdheid was anders. Wijnand veroorzaakte geen vlinders in haar buik, maar hij was attent en lief voor haar. Voor hem hoefde ze zich nooit beter voor te doen dan ze was. Hij droeg haar op handen en heelde haar gekwetste hart. Hij was geen wereldverbeteraar, zoals Olaf. Hij probeerde het leven van mensen in zijn omgeving te verlichten door klaar te staan als dat nodig was. Hij repareerde de verwarmingsketel van haar moeder en won daarmee haar waardering. Zita voelde zich vertederd door zijn zorgzaamheid en zijn zichtbare trots. Hij kon haast niet wachten om haar aan zijn ouders voor te stellen. Hij vond het geweldig om haar in zijn vriendenkring te introduceren, om iedereen te laten zien dat deze mooie vrouw bij hem hoorde. Was het raar dat ze Wijnand nooit iets had verteld over de relatie die er eens tussen Olaf en haar had bestaan? Hij wist niet beter dan dat Olaf altijd bij Annabel had gehoord. 'De man van Annabel', dat was hij in de loop der jaren ook voor haar geworden. Olaf is een hoofdstuk dat ze al lang geleden heeft afgesloten. Ze wil er niet aan denken hoe het zou zijn geweest als... Het waren gedachten die ze niet toe wilde laten omdat ze aan haar leven niets toevoegden. In de jaren waarin ze tot een grote familie waren verworden, had ze zelf Olaf ook zien veranderen. Zijn gedrevenheid was gebleven maar hij zette die nu op een andere manier in. De jonge Olaf in versleten jeans werd de man in het maatpak. De oude lelijke eend maakte plaats voor een glanzende bolide. Alleen zijn donkere ogen bleven, zoals ze altijd waren geweest. Ooit hadden ze haar liefdevol aangekeken. Nu keken ze haar soms opmerkzaam aan. Of verbeeldde ze zich dat alleen maar? Zou het allemaal anders zijn gelopen als ze hem destijds had verteld wat de breuk met hem werkelijk voor haar had betekend? Zou ze ooit met Wijnand zijn getrouwd als hij alles had geweten? Niemand wist van het zwaarwegende geheim, alleen zij en haar moeder. Ze hadden er nooit meer over gepraat, alsof ze meenden dat ze het verleden zo op afstand konden houden. In ieder geval heeft Annabel het recht niet om zich over Olaf te beklagen. Hoeveel vrouwen hebben een man die na meer dan twintig jaar huwelijk nog met zoveel warmte in zijn stem zegt dat hij haar ook met die extra kilotjes erbij nog altijd mooi vindt? Annabel moet zich schamen. Ze beseft veel te weinig hoe gelukkig ze is.

Vandaag wilde Jamina ineens naar die maffe soos van de kerk. Ze vroeg ook nog of ik mee wilde. Waarschijnlijk wist ze het antwoord al wel. Die soos is toch helemaal niets voor mij? Jamina ging toch en zo zat ik vanmiddag alleen. Ik heb wat rondgekeken op internet en ineens zat ik op zo'n site met allerlei tips om af te vallen. Geweldig! Daar knapte ik weer helemaal van op. Er stonden ook verhalen van meisjes die zo herkenbaar voor me waren. Het voelde alsof ik nieuwe vriendinnen had gevonden. Vriendinnen die me echt begrepen.

4

'Spiegeltje, spiegeltje aan de wand, je hoeft je nog steeds niets te verbeelden,' zegt de spiegel. Of zit de stem in haar hoofd? Is het die stem die haar hier de werkelijkheid doet zien? Ze hoeft niet trots op zichzelf te zijn, zegt die stem. 'Kijk nu eens naar jezelf. Kan dat je goedkeuring echt wegdragen? Je bent wel weer een paar gram kwijt, maar er moet meer vanaf. Veel meer. Kijk eens naar je buik. Hoe kan een mens gelukkig zijn met zo'n buik?'

Met haar vingers tracht ze het ranzige vet op haar buik en heupen te omvatten, ze knijpt in haar wanstaltige bovenbenen. Nee, ze is nog lang niet volmaakt. Sterker nog, ze is niet om aan te zien. Walgend slaat ze de roze badjas om haar schouders. Het is stil in huis, zondagmiddagstil, zoals ze dat ooit is gaan noemen.

Sinds Jamina naar de soos gaat zijn de zondagmiddagen nog stiller geworden. Jamina had eigenlijk helemaal niet gedacht dat het een wekelijkse gewoonte van haar zou worden. De zondagmiddagen waren immers altijd van hun tweeën. Na die eerste keer had ze echter beschroomd bekend dat ze het leuk vond. 'Ik denk dat het ook iets voor jou is,' had ze betoogd in de hoop Tirza te kunnen overtuigen. 'Jij bent ook zo'n denker en dat is nou net wat we daar doen. We denken na over de Bijbel en allerlei levensvragen.'

'Alsof dat iets voor mij is. Ik hou daar helemaal niet van, maar als jij het zo leuk vindt, moet je gaan. Je moet je door mij niet laten weerhouden.' Ze had zelf gehoord hoe zuur dat had geklonken. De gekwetste blik van Jamina sprak, wat dat betreft, ook boekdelen. Het vreemde is dat ze werkelijk hoopte dat Jamina zou zeggen dat ze er niet over dacht om nog eens te gaan. In dat geval zou zij het uiteraard te vuur en te zwaard hebben bestreden. Ze zou Jamina hebben voorgehouden dat ze er niets van wilde horen, dat ze gewoon moest gaan. Maar dat zei Jamina niet.

De keer daarop had ze het er niet meer over dat ze zich bezwaard voelde en ook deze zondag had ze gedaan alsof het vanzelfsprekend was dat ze naar de soos ging. Het voelde als een klap in Tirza's gezicht, maar ze was te trots om haar gekrenktheid te laten blijken. Zo snel kon dus een jarenlange vriendschap ten einde zijn. Jamina deed door de week alsof er niets veranderd was, maar voor haar was niets meer hetzelfde.

Beneden klinken lichte voetstappen op het parket in de kamer. Misschien kan ze zich het beste maar snel aankleden. Als ze hier te lang blijft zitten, komt haar moeder bezorgd informeren of het wel goed met haar gaat. Vervolgens zal ze nogmaals proberen uit te vinden waarom ze de zondagmiddagen niet langer met Jamina doorbrengt. Ze zal een poging doen om het voor de zoveelste keer uit te leggen, waarop haar moeder prompt aandringt om toch eens met Jamina mee te gaan. Waarom zou het immers wel iets voor Jamina zijn, maar niet voor haar? Dat brengt haar bij het volgende onderwerp. Want waarom brengt ze zoveel tijd op haar slaapkamer door? 'Ben je moe?' Ze zal ontkennen, maar dat weerhoudt haar moeder er niet van om over haar eetgedrag te beginnen. Het lijkt of er in dit huis over niets anders gesproken kan worden. Op alle mogelijke manieren weten haar ouders bij dat onderwerp uit te komen. Ze is dit jaar zelfs verplicht om weer met hen mee te gaan op vakantie. 'We zijn bang dat je helemaal niet meer eet als wij daar ergens in Italië zitten,' had haar vader uitgelegd. Daarop was een preek van haar moeder gevolgd die in een huilbui eindigde. 'Je móét weer normaal gaan eten.' Die woorden had ze steeds herhaald.

'Ik eet genoeg en ik voel me beter dan ooit,' had zij er tegenin gebracht, maar dat wilden ze natuurlijk niet horen. Uiteindelijk had ze beloofd om mee te gaan. Zo was ze ten minste van het gezeur af. In Italië is het in ieder geval warm, ze zal vaak kunnen zwemmen en hardlopen en ze zal vast manieren vinden om te eten zoals zij wil. Hoe komt het toch dat niemand haar gelooft? Als ze al moe is dan komt dat zeker niet door haar manier van eten. Ze wordt doodmoe van hun gezeur.

Kenneth belt vrijwel altijd op zondagavond, tenzij er omstandigheden zijn die hem dat verhinderen. Meestal belt hij om acht uur, af en toe is hij iets eerder of later. Tegen die tijd voelt Annabel haar hartslag versnellen en haar handpalmen vochtig worden. Natuurlijk weet ze dat het mogelijk is dat hij een keer niet belt. Uiteraard is het haar bekend dat de verbindingen soms te wensen overlaten, dat het soms gewoon iets langer duurt voordat ze hem aan de lijn heeft. Ze vindt zichzelf een rationele vrouw, maar niet op zondagavond tegen acht uur.

'Mama wacht weer op haar liefje,' merkt Jamina deze zondagavond spottend op. 'Hou toch eens op met dat zenuwachtige gedoe. Je loopt steeds voor de televisie langs. Kenneth belt heus wel.'

'Of hij belt een keer niet,' bedenkt Floris hardvochtig. 'Dat wil dan nog niet zeggen dat hij neergeschoten is. Of we moeten dat zo nog in het journaal horen.'

'Doe niet zo flauw. Je weet zelf ook wel dat ze het ons echt niet via het journaal zouden laten weten als Kenneth iets was overkomen,' snauwt ze.

'Doe dan eens een keer niet zo overdreven.' Floris hangt onderuit gezakt in zijn stoel. Zijn ongeïnteresseerde blik blijft op de nieuwslezeres gevestigd die net het journaal van acht uur aankondigt.

'Overdreven?' vliegt ze op.

'Annabel...' mengt Olaf zich erin. Hij schudt zijn hoofd, zijn stem klinkt sussend. 'Haal je niet direct van alles in je hoofd als Kenneth toevallig een keer iets later is. Er kan van alles aan de hand zijn waardoor het niet direct lukt. De verbindingen zijn niet altijd...'

Het vrolijke 'Für Elise' dat Olaf als beltoon heeft ingesteld, valt hem in de rede. Voor de eerste drie tonen hebben geklonken, heeft Annabel het groene knopje al ingedrukt.

'Kenneth, hoe is het met je?' Haar stem heeft een opvallende verandering ondergaan, ze klinkt opgewekt, haar lach schalt even later door de open keuken waar ze zich heeft teruggetrokken.

'Hoe is het weer nu?'

'Is het een beetje rustig?'

'Waar ben je vandaag geweest?' Daartussen vallen stiltes. Ze knikt af en toe en drinkt zijn woorden in. Woorden die haar gerust moeten stellen en dat ook doen, tot ze even later de rode knop van de telefoon indrukt en de afstand tussen Nederland en Afghanistan ineens weer duizenden kilometers bedraagt.

'Jullie moeten de groeten hebben,' zegt ze als ze naar de kamer loopt. 'Het gaat goed met hem.'

'Denk je nu echt dat hij het zou vertellen als dat niet zo was?' meent Jamina. 'Hij kent je wel zo goed dat hij weet dat je helemaal in de stress zou schieten en dan hebben wij hier helemaal geen leven meer.'

'Bovendien is het niet geoorloofd om de waarheid te vertellen,' zegt Olaf. 'Als er ergens gelogen wordt dan is het wel in het leger. De waarheid is binnen defensie altijd ondergeschikt aan de veiligheid. Als je geluk hebt dan hoor je hoe het werkelijk was als Kenneth over een maand of vier veilig thuiskomt.'

Zijn stem klinkt afgemeten. 'Tot zolang zul je het met halve waarheden moeten doen.'

Ze wil iets zeggen, maar ze weet niet wat en niemand lijkt nog geïnteresseerd. Zwijgend gaat ze op de bank zitten. Nooit eerder heeft ze zich zo alleen gevoeld.

De dag erna gooit Zita de tennisracket met een zucht van zich af en wist zich het zweet van het voorhoofd.

'Je was niet echt in vorm vanavond.' Annabel trekt haar shirt uit.

'Dat had ik zelf ook al in de gaten.' Zita volgt met snelle, geïrriteerde gebaren haar voorbeeld. Ze is eerder uitgekleed, zwijgend staat ze even later onder de douche. Naast haar sopt Annabel zich in.

'Olaf kwam van de week met het idee om er samen een weekend op uit te trekken,' hoort ze Annabel even later zeggen. 'Hij heeft het ook al aan Wijnand voorgelegd. Wat vind jij ervan?'

Het overrompelt haar. Tegenover haar heeft Wijnand er met geen woord over gerept.

'Olaf had het idee dat we er allemaal wel een beetje aan toe waren.'
Annabel lijkt geen antwoord te verwachten. Zita sluit haar ogen, het
warme water klatert over haar rug, over haar nek en schouders die
deze hele dag hinderlijk pijnlijk aanvoelden. Langzaam lijkt de spanning een beetje te verdwijnen, maar ze weet nu al dat het niet voor
lang zal zijn. Nog voor ze thuis is zal de pijn zich opnieuw mani-
festeren.
'Hij wilde lekker met ons viertjes,' verduidelijkt Annabel het plan
van haar man. 'De jeugd zal zich best een weekend zonder ons weten
te redden. Wijnand was er wel voor te vinden, maar hij wilde eerst
met jou overleggen.'
'Daar is hij dan nog niet aan toegekomen,' erkent ze moeilijk.
'En dat terwijl hij zo enthousiast was.' Annabel spoelt de shampoo uit
haar korte haren. Zita draait met snelle gebaren de kraan dicht.
'Wanneer zou dat moeten plaatsvinden?' informeert ze.
'Op korte termijn uiteraard. We dachten aan het weekend na
Pinksteren, dus over twee weken al. Ik heb vanmorgen op internet
rondgekeken of er dan nog hotelkamers beschikbaar zijn.'
'De meeste zullen al wel bezet zijn.' Zita wrijft haar huid rood.
'Er was inderdaad niet heel veel keus meer, maar op de Veluwe vond
ik nog wel een leuk hotel waar we terecht zouden kunnen. Ik weet
niet of je ervoor voelt? Zelf heb ik echt behoefte om er even lekker
tussenuit te gaan. Als het weer zo lenteachtig is, begint het bij mij
direct te kriebelen. Je mag er natuurlijk wel over nadenken, maar we
hebben niet veel tijd meer...'
'Dat hoeft niet,' zegt ze. 'Ik wil er graag even uit.'
Waarom vertelt ze nu niets over de spanning die in huis hangt,
en over de aanvaringen die ze met Wijnand heeft? Ruzies die alleen maar over Tirza gaan. Ze heeft nooit geheimen voor Annabel
gehad, Waarom vindt ze het dan nu zo moeilijk om over Tirza te
praten?
'De meiden zullen het inderdaad niet erg vinden om thuis te blijven,'
merkt ze op om een beetje enthousiast te lijken. 'Ik hoef ze niet eens

te vragen wat ze ervan vinden. Wat mij betreft mag je vanavond al reserveren.'

'Tirza is het nog niet erg eens met jullie voorstel om nog een jaartje mee op vakantie te gaan?' hoort ze Annabel nu vragen, terwijl ook zij zich met een grote handdoek begint af te drogen. 'Ik hoorde Jamina daar in ieder geval over.'

'Als we maar eenmaal onderweg zijn.' Zita wacht tot Annabel klaar is voordat ze samen naar de kleedkamer lopen.

'Ik weet zeker dat ze het weer heerlijk zullen vinden in Italië,' meent Annabel. Haar slippers klappen tegen haar voetzolen. 'Het huis dat we hebben gehuurd is toch fantastisch? Die meiden kunnen de hele dag bij en in het zwembad liggen, als ze daar behoefte toe voelen. Ik wil wedden dat ze al hun bezwaren overboord gooien op het moment dat ze het huis zien en de zon op hun huid voelen. Vooral voor Tirza zal het perfect zijn. Ze is toch al zo kouwelijk. Je weet van andere jaren wel hoe die twee eindeloos aan het strand konden liggen. Ik heb er alle vertrouwen in dat het dit jaar weer een succes gaat worden. Ik denk dat het Tirza uiteindelijk alleen maar ten goede zal komen.'

Het klinkt zo zelfverzekerd, en ineens weet Zita waarom ze het niet aankan om haar zorgen over Tirza met Annabel te delen.

Ze wil er iets tegenin brengen, maar ze kan de juiste woorden niet vinden. Zwijgend begint ze zich aan te kleden.

Dit zou Kenneth nooit overkomen. Niemand zou dit ooit aan Kenneth schrijven.

Dit gebeurt alleen hem. Floris staart naar de woorden op zijn beeldscherm, leest en herleest ze, alsof hij niet kan geloven dat het er werkelijk staat.

Ik wil dat je me nu met rust laat. Dat houdt dus in dat ik niet wil dat je me sms'jes of mailtjes stuurt, dat je me nooit meer belt en geen toenadering zoekt als je me ergens tegenkomt. Voor eens en voor altijd: het is voorbij tussen ons. Voorgoed voorbij. Ik vind je een nerd en een creep en als je het

dan nog niet begrijpt: ik moet je niet. Claudia.
Hij knijpt zijn ogen tot spleetjes en leunt achterover. 'Misschien kunnen we gewoon vrienden blijven,' had ze gezegd nadat ze het had uitgemaakt. 'Als vriend mag ik je graag maar we passen verder helemaal niet bij elkaar.'
Hij wist wel dat haar vriendinnen hem niet mochten. Ze lieten geen kans onbenut om hem zwart te maken tegenover Claudia. Ze had zich gewoon laten ompraten. Toen Claudia had gezegd dat ze nog wel vrienden konden blijven, had hij opluchting gevoeld. Op die manier was ze niet helemaal onbereikbaar. Hij zou haar toch nog kunnen laten zien dat ze het verkeerd had, dat ze juist heel goed bij elkaar pasten.
Had hij het tegendeel bereikt doordat hij haar af en toe mailde, en schreef wat hij nog voor haar voelde? Had hij haar laatst niet moeten benaderen toen ze elkaar in een cafeetje troffen? Leek het opdringerig dat hij haar een paar keer per week een lief sms'je stuurde? Had hij het anders moeten aanpakken?
Hij leest nogmaals haar woorden. Op de een of andere manier voelt het aan alsof ze niet van Claudia zelf zijn. Ze is te mooi en te lief om zulke dingen aan hem te schrijven. 'Ik vind je een nerd en een creep,' die woorden haken zich in zijn hersens vast. Claudia zou dat niet mogen zeggen. Ze had hem toch gewoon kunnen vragen om niet meer te mailen, of op een andere manier nog contact met haar te zoeken? Hij zou het hebben begrepen. 'Een nerd en een creep.' Is hij dat werkelijk?
Hij voelt zich vaak de buitenstaander, zowel thuis als op school. Kenneth is thuis veel populairder dan hij. Als hij thuis is, wordt er veel meer gelachen en is alle aandacht voor Kenneth. Nu hij in Afghanistan zit, lijkt het soms nog meer om hem te draaien.
Op het vwo hadden ze hem gekscherend 'de computerdeskundige' genoemd. Hij had gemerkt dat die bijnaam hem niet populair maakte, maar hij had er nooit problemen mee. Het was een gegeven waarmee hij had leren leven. En hij had van zijn hobby zijn studie

gemaakt door de opleiding Technische Informatica te gaan volgen. Iedereen wist hem trouwens te vinden als er een probleem met een computer was. Bij moeilijkheden steeg zijn populariteit. Claudia had verzucht dat ze het heerlijk vond dat ze altijd bij hem aan kon kloppen als haar computer het af liet weten. Zelf beweerde ze een digibeet te zijn. Dat had ze hem niet hoeven te vertellen, hij had zelf wel gemerkt dat ze geen snars van computers begreep. Als hij haar iets uit trachtte te leggen, keek ze hem aan alsof ze water zag branden. Hij dacht dat ze tegen hem opkeek. Hij had niet verwacht dat ze hem een nerd en een creep zou vinden.

Met een heftig gebaar verwijdert hij haar mailtje uit de lijst, en haar naam uit de lijst met contactpersonen. Nooit meer Claudia, nooit meer...

Rauwe rockmuziek knettert even later door zijn kamer terwijl hij moedeloos op bed ligt en probeert haar naam kwijt te raken. Het is goed dat zijn moeder niet thuis is. Het zou niet lang duren voordat ze boven zou komen om te vragen of het wat zachter kan. Er is niemand thuis, de zware bas treitert zijn trommelvliezen maar is niet in staat om haar naam te overschreeuwen. Claudia's naam, die altijd muziek in hem had losgemaakt, een lichtvoetige melodie die hem gelukkig maakte. Die naam moet hij nu vergeten, maar hoe moet hij dat doen?

Hoe moet hij handelen als hij haar in de stad tegenkomt? Moet hij dan doen alsof hij haar niet kent of kan hij haar gewoon groeten? Moet hij net doen alsof haar woorden hem niet gekrenkt hebben? Claudia, Claudia, Claudia...

Ze maakte het onverwacht uit. Zelf had hij het gevoel dat het goed ging. Hij was zo trots dat deze mooie vrouw verliefd op hem was. Jamina noemde haar een leeghoofdige truttebol die veel te veel met haar uiterlijk bezig was. Hij had haar later wijsgemaakt dat hij zelf Claudia de bons had gegeven. Ze had dat verstandig gevonden. Ze moest eens weten hoe verstandig hij was. Jamina zou het niet gebeuren, maar Jamina werd ook niet beschouwd als een nerd. Zijn zus zag er leuk uit. Op de middelbare school werd er soms ongelovig naar hem gekeken als hij vertelde dat ze zijn zus was. Jamina was populair bij het mannelijk geslacht, zoals Kenneth dat was bij de vrouwen. Waarom is hij niet zo? Als hij in de spiegel kijkt, ziet hij toch geen lelijke kop. Wat mankeert er dan aan hem?

De muziek keert zich tegen hem. De bassen dragen Claudia's naam mee. Hij kan het niet langer verdragen. Verontwaardigd vervallen de gierende gitaren en de brullende stem van de zanger in stilte als hij ze met een druk op de knop het zwijgen oplegt.

Meestal lukte het Tirza na haar huiswerk nog prima om een poos te schilderen. Maar in de laatste week van haar examens lijkt de vermoeidheid haar te verlammen. Peinzend staart ze naar het doek dat maagdelijk wit blijft. Ze hoeft deze week alleen nog maatschappijleer en een Franse tekst te maken, en ze weet zeker dat ze daar een voldoende voor kan halen. De afgelopen weken is het goed gegaan. Ze heeft hard gewerkt en haar inspanningen lijken vruchten af te werpen. 'Als er iemand doorzettingsvermogen heeft, is het Tirza wel,' had ze haar vader een tijdje geleden horen zeggen. Het klonk of hij trots was.

Ze neemt het penseel in haar hand, maar het lukt haar niet om zich te concentreren. Het is of ze elke keer de woorden van haar moeder weer hoort. 'Ik ben toch zo blij dat Kelly voor die opleiding verpleegkunde heeft gekozen,' had ze vanavond onder het eten gezegd. 'Het is net of ze mijn droom heeft waargemaakt.'

Kelly was er zelf niet. Uit school was ze met een studiegenoot naar huis gegaan om samen aan een opdracht te werken. Zij had gevoeld hoe pijnlijk die opmerking haar raakte, maar ze wilde zich niet laten kennen. 'Wilde je vroeger echt verpleegster worden?' had ze gevraagd, terwijl ze het antwoord allang kende. Haar moeder hoorde die vraag graag en nog liever vertelde ze haar verhaal. Het was voorspelbaar en werkte altijd.

'Dat heb ik je toch al eens vaker verteld?'

'Ja schat, dat heb je meer dan eens verteld, maar we vinden het helemaal niet erg om het nog eens te horen.' Haar vader mengde zich erin. Het lukte hem om nog altijd met zo'n liefdevolle blik naar haar moeder te kijken. Andersom merkte ze daar eigenlijk nooit iets van.

'Ik vind het raar om het dan nog eens te vertellen terwijl jullie het al weten,' sputterde haar moeder zwakjes tegen.

'Ik vraag me af of ik het hele verhaal wel ken,' had Tirza aanmoedigend gezegd. 'Ik weet bijvoorbeeld niet meer waarom het dan niet is doorgegaan.'

Dat was het sein. Haar moeder vertelde over haar droom die al was ontstaan in de tijd dat ze een klein meisje was. Ze liet haar stem dramatisch klinken toen ze over de onenigheid met haar moeder vertelde. 'Oma vond me nog veel te jong om in een verpleegstersflat te wonen. Ze vertrouwde me niet. Ik verdenk haar ervan dat ze het vervelend vond om alleen achter te blijven. Na de dood van opa was ik haar steun en toeverlaat. Daarom besloot ik eerst de opleiding voor secretaresse te gaan volgen. Dat vond mijn moeder een behoorlijk beroep. Het is eigenlijk raar dat het er dan later niet meer van komt, maar ja, zo gaat dat nu eenmaal. Ik kreeg verkering, jullie werden geboren. Dan begin je niet meer zo snel als leerling-verpleegkundige in een ziekenhuis.'

'Ik denk dat je een goede verpleegster zou zijn geworden,' zei haar vader aan het einde van haar verhaal, en hij keek bepaald verliefd. 'Ik had je graag aan mijn bed willen hebben.'

'Denk maar niet dat je me zo kunt troosten.' De glimlach van haar moeder leek bevroren. 'Ik vind het een grotere troost dat Kelly nu die keuze wel heeft gemaakt.'

Haar hand met het penseel is langzaam naar beneden gezakt. Ze staat naar het doek te kijken, waar inmiddels een eenzame lijn staat die nog alle kanten op kan. Stilletjes legt ze het penseel op de rand van de ezel. Misschien moet ze eerst een poos gaan lopen, dwars door haar vermoeidheid heen.

Ondanks de avonduren, is de temperatuur nog aangenaam. De wind ademt in het water waar een meerkoet naar waterplanten duikt. Floris probeert hem met zijn blik te volgen als hij eindeloos onder water blijft. Twee woerden vechten met veel lawaai om een vrouwtje, ergens achteraan glijden witte knobbelzwanen over het spiegelende water. Hier komt zijn getergde ziel tot rust, lijkt het rauwe verdriet tot staan te komen en te verstarren tot een onderhuidse pijn. Claudia zal nooit van hem houden. Het is best mogelijk dat ze nooit van hem heeft gehouden, dat ze was zoals Jamina zei, maar hij weigerde het te zien.

Een enthousiaste jack russell terrier rent over het pad in zijn richting, de harde schreeuw van zijn baas negerend. Vrolijk springt het beest tegen hem op. De serene rust op zijn plekje wordt ineens verstoord en dat ergert hem. 'Rot op!' Zijn voet haalt uit naar de hond zonder hem te raken.

'Beau, hier zeg ik je!' Verontwaardigd kijkt de oudere man in zijn richting.

'De hond moet aangelijnd worden,' merkt Floris op.

'Als iedereen dat doet, doe ik het ook.' Hoofdschuddend loopt de man verder terwijl de hond om hem heen springt. Als hij net rond de bocht is verdwenen, klinkt opnieuw zijn luide stem. 'Beau! Beau, af zeg ik je!'

Floris hoort een boze vrouwenstem en nu lijkt de man niet langer verontwaardigd. 'Hij doet het anders nooit,' hoort Floris hem timide zeggen. 'Het komt doordat jij hardloopt, dan denkt...' De vrouwenstem zegt weer iets, waarna hij de man hoort roepen: 'Beau, kom hier! Je schijnt hier aan de lijn te moeten. Ja, ik kan d'r ook niks aan doen.'

Om de bocht komt nu een tenger figuurtje aangerend.

'Werd je aangevallen door een jack russell?' zegt hij als ze hem voorbij wil lopen. Hij bespeurt haar tegenzin om te stoppen, maar haar fatsoen wint het van haar onwilligheid.

'Rothond,' scheldt ze terwijl haar voeten in beweging blijven. 'Of eigenlijk rotbaas. Die man moet z'n hond gewoon aanlijnen.'

'Moet je de vijver nog rond?' wil Floris weten.

Ze schudt haar hoofd. 'Ik ben op weg naar huis.'

'Kom hier nog even zitten. Moet je kijken hoe mooi die zon straks achter het water verdwijnt.' Hij weet zelf niet waarom hij haar uitnodigt. Wellicht heeft het wat te maken met de leegte die hij binnenin zich voelt. Hij verwacht niet eens dat ze aan zijn uitnodiging gehoor zal geven. Verbaasd ziet hij hoe ze toch naast hem gaat zitten. De eenden hebben hun strijd kennelijk opgegeven. Hij is hen uit het oog verloren. Als ze naast hem zit, komt langzaam de stilte weer terug. Hij hoort haar snelle ademhaling en voelt haar huiveren. 'Je hebt het koud,' zegt hij. 'Het is ook veel te fris om hier nu in een shirt met korte mouwen te zitten.'

'Ik heb hardgelopen.'

'Je koelt zo veel te snel af. Hier, neem mijn jas.' Voor ze kan protesteren heeft hij zijn lange jas al uitgetrokken en rond haar magere schouders gelegd. Hij ziet hoe ze de jas dicht om zich heen trekt, een gebaar dat haar kwetsbaar doet lijken. Hij krijgt de neiging om zijn armen om haar heen te slaan. Stilletjes gaat hij een eindje van haar af zitten, kijkt naar het water dat van goud lijkt in het licht van de ondergaande zon. 'Claudia...' jent het nog steeds ergens in zijn hoofd, maar de klank is lichter geworden, het water geeft nu iets van troost. De knobbelzwanen glijden naderbij in een gouden gloed. Hij houdt zijn adem in.

'Zag het lelijke eendje uit het sprookje van Anderson eigenlijk zijn eigen beeld weerspiegeld in het water?' hoort hij haar zachtjes zeggen. Hij moet er even over nadenken. 'Nee, dat geloof ik niet. Anderen vertelden hem dat hij lelijk was. Ze lachten hem uit en deden hem pijn. Ik geloof wel dat het eendje uiteindelijk aan zijn beeld in het water ontdekte dat hij een mooie zwaan was geworden.'

Ze biedt hem een stukje kauwgom aan. Zwijgend zitten ze naast elkaar te kauwen. Opnieuw is zij het die de stilte verbreekt. 'Geloof jij nog in God?'

De zon zakt steeds verder weg. Floris wrijft nadenkend over zijn sikje. 'Wat stel je een moeilijke vragen.'

'Het is een avond voor moeilijke vragen. Ik zie je nooit meer in de kerk en ik vroeg het me af. Als je die zon over het water ziet schijnen, de rust van de natuur voelt, is het toch bijna ondenkbaar dat God er niet zou zijn?'

'Ik geloof nog in God,' zegt hij en zijn blik blijft even op haar smalle gezicht rusten. 'En jij?'

'Soms twijfel ik. Dit is mooi. Dit zijn de momenten waarop ik me heel dicht bij God kan voelen, maar er is ook zoveel ellende. Wat moet ik daar dan mee?'

Hij zou willen dat ze haar mond had gehouden. Wilde God eigenlijk dat Claudia hem zoveel pijn aandeed?

'God heeft ons eigen verantwoordelijkheden gegeven,' merkt hij traag op terwijl de naam van Claudia weer door zijn hoofd begint te bonzen. 'We zijn niet als marionetten geschapen. God geeft ons de mogelijkheid keuzes te maken. Wij mensen maken vaak verkeerde keuzes, uit machtswellust, uit gemakzucht, uit egoïsme of omdat we gewoon niet zien wat we een ander aandoen.'

'Het leven is een gevecht. Ik zou soms best meer van God willen zien.'

'Misschien moet je het willen zien.' Hij legt zijn hand even op de hare en verbaast zich erover dat die zo koud voelt. Het is of ze ervan schrikt. 'Ik moet verder. Thuis even lekker douchen en op tijd naar bed.' Ze laat de jas van haar schouders glijden. 'Dank je dat je naar me wilde luisteren en met me mee wilde denken,' zegt ze. 'Misschien kunnen we dat hier eens vaker doen.' Ze steekt haar hand op en sprint bij hem vandaan om twintig meter verderop om te draaien. 'Ga jij trouwens ook nog mee op vakantie dit jaar?' Ze glimlacht gespannen.

Hij heeft zijn ouders bezworen dat hij weigert nog langer mee te gaan. 'Natuurlijk ga ik mee,' hoort hij zichzelf nu zeggen.

'Gelukkig.'

Hij hoort het haar echt zeggen, voor ze er daadwerkelijk vandoor gaat.

Vandaag voelde ik me eigenlijk helemaal niet goed. Ik heb het idee dat ik nooit word wie ik wil zijn. Dat klinkt best vaag als ik dat zo opschrijf. Misschien wil ik gewoon dat mama me ziet, en dat ze trots op me is. Ik heb nog even op die site op internet gekeken. Je krijgt eerst een waarschuwing te zien voor je op de site komt. Belachelijk! Wel handige tips. Ik probeer m'n eten in het vervolg lekker pittig te maken met sambal en mosterd, dat stimuleert de stofwisseling. O ja, Floris tegengekomen en even met hem gepraat. Hij gaat mee op vakantie en dat vind ik zomaar ineens leuk.

5

HET HOTEL DAT ANNABEL HEEFT GEBOEKT, LIGT IN DE BOSSEN verscholen, aan een weg waarlangs dagjesmensen zich vanuit auto's vergapen aan de schoonheid van de natuur. Van de brede fiets- en wandelpaden wordt gretig gebruik gemaakt. Niet alleen om de natuur te zien, maar ook om de wind tussen de bomen te horen fluisteren en de geur van vochtige bladeren op te snuiven. Achter het hotel logeren paarden die regelmatig ingespannen worden om met hun eigenaren de bossen te verkennen, snuivend en stampend tussen het jonge lover.

Hoewel het weer met de pinksterdagen hevig teleurstelde, heeft het zich in de week erna hersteld. De eerste morgen na hun aankomst worden ze door de zon gewekt. Vanaf het terras klinken geluiden. Als Zita door het raam naar beneden kijkt, ontdekt ze dat de tafels daar voor het ontbijt gedekt zijn. Er zitten al mensen van de zon te genieten, een ober schenkt koffie in. Zijn lach klinkt luid op als iemand blijkbaar iets vermakelijks opmerkt. Vanaf de parkeerplaats steekt een paard met koetsje de weg over om in de bossen te verdwijnen. Fier zit de koetsier op de bok. In de kamer naast die van hun klinkt het geluid van een kraan die wordt opengedraaid.

'De buren zijn al wakker,' hoort ze Wijnands slaperige stem vanuit het bed. Hij gaapt hartgrondig. 'Ik denk dat we dan ook maar...'

'Ja, ik ga douchen.' Ze lacht als ze hem net voor is in de douche. Warme stralen ontspannen haar lichaam. Ze zag er de afgelopen dagen vreselijk tegenop om weg te gaan, maar nu ze hier staat, krijgt ze ineens het idee dat het nog niet zo verkeerd is. Natuurlijk heeft ze ook hier haar onrust en zorgen om Tirza, maar ze zit er even niet met haar neus bovenop. Voor hen allebei lijkt dat goed, want elke opmerking die ze maakt, valt verkeerd bij Tirza. De afgelopen weken zijn de ruzies niet van de lucht geweest. Waarom begrijpt haar dochter niet dat ze alleen maar aandringt om meer te eten vanuit haar bezorgdheid? Ze heeft getracht haar duidelijk te maken dat ze zielsveel van haar houdt, maar die boodschap komt niet over. 'Je maakt je zorgen omdat ik niet doe wat jij wilt,' had Tirza haar toegebeten. 'Als je echt van me houdt, respecteer je mijn keuzes, dan zou je eindelijk eens trots op me zijn.'

Hoe kan ze trots zijn als Tirza verkeerde keuzes maakt?

Ook de warme stralen lukt het niet om haar gepieker een halt toe te roepen.

Met een zucht draait ze de knop van de douche op koud en weet het nog even vol te houden. Haar huid gloeit als ze zich even later droogwrijft met een zachte, witte handdoek. In de spiegel ziet ze haar zorgelijke gezicht. Ze wordt ouder, dat is goed te zien. Zelfs de peperdure antirimpelcrème die ze al jaren gebruikt, blijkt daar niets aan te kunnen veranderen.

Op de gang zijn de stemmen van Annabel en Olaf hoorbaar. Er wordt op de deur geklopt. 'Wij gaan alvast naar beneden.'

Ze hoort hoe hun stemmen zich verwijderen, de vrolijke lach van Annabel klinkt hoog op. Als ze even later voor het raam staat, ziet ze hoe ze een plekje op het terras zoeken voor vier personen. Olaf legt even zijn hand op de schouder van Annabel. Hij buigt zich naar haar over en zegt iets. Als de ober arriveert, wimpelt hij die vriendelijk maar beslist af. Ze weet zeker dat hij zal hebben gezegd dat ze willen wachten tot hun vrienden zich ook bij hen hebben gevoegd. Zo is Olaf, altijd even onberispelijk.

Hij past uitstekend bij Annabel.

Veel later op de dag puffen ze uit op het terras na een lange wandeling door het bos. Parasols moeten de zon weren, maar Zita heeft haar stoel iets naar achteren gezet zodat ze de warme stralen op haar gezicht voelt. In het glas, waaruit ze af en toe een slokje neemt, fonkelt de rosé in het felle licht.

Olaf, Wijnand en Annabel zijn in een geanimeerd gesprek verwikkeld over de economie in Nederland. Ze laat hun woorden langs zich heen glijden. Pas als ze van de economie op miraculeuze wijze bij het onderwerp kerk en de nieuwe predikant belanden, wordt ze weer opmerkzaam.

'Een bijzonder aimabele man,' hoort ze Olaf zeggen. 'Ik hoor van Jamina ook positieve geluiden. Ze lijkt nogal op hem gesteld. Hij schijnt zich erg betrokken te voelen bij de kindernevendiensten en neemt zelfs geregeld deel aan de vergaderingen van het team.'

'Hij kan ook prima met de kinderen overweg,' dweept Annabel. 'Als hij ze naar voren roept, vlak voor de nevendienst, weet hij ze direct op hun gemak te stellen. Hij is lang zo hautain niet als de vorige predikant.'

'Jamina vertelde laatst...' begint Olaf.

'Jamina...' valt Zita hem in de rede. 'Ik heb Jamina al een hele tijd niet meer bij ons thuis gezien. Anders zag ik haar op zondagmiddag altijd, en door de week kwam ze bijna dagelijks binnenlopen.' Ze onderschept de verstoorde blik van Wijnand, maar kijkt weer van hem weg. 'Uiteraard heb ik bij Tirza geïnformeerd of er misschien iets aan de hand was. Ze vertelde dat Jamina op zondagmiddag naar de soos gaat en dat het er op de een of andere manier door de week ook niet meer zo van komt.' Ze wil het niet maar toch klinkt het beschuldigend. Wijnand kucht en probeert haar aandacht te vangen. 'Hebben jullie er toevallig iets van gehoord?' eindigt ze toch wat onzeker. 'Volgens mij hebben ze toch geen ruzie gehad of zo?'

Olaf haalt zijn schouders op. 'Jamina heeft er niets over gezegd. Ik heb wel begrepen dat ze tegenwoordig op zondagmiddag naar die jongerensoos van de kerk gaat, maar volgens mij had ze Tirza ook gevraagd.'

'Jazeker, Tirza wilde niet.' Annabel heeft een kleur gekregen. 'Jamina heeft het haar echt gevraagd hoor, maar Tirza wil op het ogenblik niet zoveel.'

'Hoe bedoel je...'

'Misschien moeten we het daar nu even niet over hebben,' valt

Wijnand haar scherp in de rede. Opnieuw zendt hij een geërgerde blik in Zita's richting. 'We wilden hier even tot rust komen, weet je nog?'

'Het hindert niet,' sust Annabel. 'Zoiets leidt al gauw tot een misverstand en voor je het weet, hebben we na al die jaren van vriendschap een flinke ruzie.'

'Hebben we in al die jaren eigenlijk wel eens ruzie gehad?' vraagt Olaf zich af.

'Ik kan het me niet herinneren.' Wijnand springt er dankbaar op in. 'Meestal waren we het wel aardig met elkaar eens en als er iets was, probeerden we het direct uit te praten.'

'Jij wilde altijd uitpraten,' lacht Annabel. 'Ik heb wel eens gedacht dat jij het heel goed zou doen als psycholoog.'

'Daar merk ik thuis anders helemaal niets van,' schampert Zita.

'Mannen reageren nou eenmaal anders op conflicten dan vrouwen,' neemt Annabel het direct voor hem op. 'Dat hoeft helemaal niet negatief te zijn, maar ik vind dat Wijnand toch geregeld z'n gevoelens laat zien. Olaf zal dat nooit doen.'

'Nee, aan mij is zeker geen psycholoog verloren gegaan.' Olaf laat de volle, rode wijn door het glas rollen. 'Luisteren gaat nog wel, maar ik ben helemaal geen prater.'

'Na tweeëntwintig jaar huwelijk is me dat wel duidelijk,' reageert Annabel. 'Af en toe is dat heel lastig. Weet je dat Olaf nooit over Kenneth praat? Het is net of het hem niets doet, of die jongen van de aardbodem is verdwenen.' Ze kijkt het kringetje rond alsof ze bijval verwacht.

Olaf neemt een slok wijn, zijn wenkbrauwen gaan omhoog als hij Annabel aankijkt. 'Wat had je dan gewild? Dat ik net zo hysterisch word als jij? Kenneth heeft zelf de keuze gemaakt om in het leger te willen. Afghanistan is dan een logische consequentie.'

'Je maakt je toch wel bezorgd?' wil Wijnand weten. 'Ik kan er natuurlijk niet echt over meepraten. Mijn dochters hebben geen enkele behoefte om het leger in te gaan, maar als het wel zo was, zou ik me vreselijk ongerust maken. Ik denk dat ik de nachten zou aftellen tot ze terug zouden komen.'

'Helpt het dan als ik dat de hele dag kenbaar maak?'

'O, dus je maakt je wel ongerust?' haakt Annabel erop in.

'Ik ben toch niet van steen, Annabel? Natuurlijk wil ik niet dat die jongen iets overkomt en al helemaal niet als dat voortkomt uit een keuze waar ik niet achter kan staan.'

'Je kinderen worden nooit zoals jij dat voor ogen hebt gehad,' mengt Zita zich er nu in. 'Van de week heb ik nog wat vakantieboeken doorgekeken van een jaar of vijftien geleden. De kinderen waren nog klein en ze zagen er zo zorgeloos en lief uit. We konden ze nog helpen als ze zich pijn hadden gedaan en we konden hun pijn wegnemen door een kusje op de gekwetste plek te drukken. Als ze bang waren, sloeg ik m'n armen om hen heen en dan voelden ze zich veilig. Ze dachten dat ik alles wist en alles kon. Ik zou er heel wat voor over hebben om die tijd nog eens over te doen.'

'Moet je kijken wat voor een mooi vierspan daar aankomt.' Olaf gaat staan, Wijnand en Annabel volgen zijn voorbeeld. Briesend en stampend komen vier Friese paarden voorbij, voorzien van glimmend tuig. Hun ruggen glanzen van het zweet, rond hun monden vormen zich witte schuimvlokken. Zita volgt hun blik en staat ook langzaam op. De laatste woorden die ze heeft gesproken, blijven in haar hoofd nagalmen. Ze weet nu dat ze een andere tijd ook over zou willen doen. Haar ogen glijden naar Olaf. Zijn hand rust losjes op de rug van Annabel, terwijl zijn blik ingespannen het fraaie vierspan volgt. Ze had zich destijds niet door haar moeder moeten laten intimideren, maar ze was zo kwetsbaar, zo eenzaam.

'Mooi hè?' vraagt Wijnand. Hij kijkt haar even aandachtig aan, maar ze doet alsof ze hem niet hoort. Als ze die tijd over mocht doen, zou ze een andere keuze maken. Hoe komt het dat juist de laatste tijd haar geheim zo zwaar begint te drukken?

'Wat een prachtige paarden,' verzucht Annabel, en als ze weer gaan zitten begint Olaf over het fokken van het Friese paardenras. Zita kan zich niet aan de indruk onttrekken dat de paarden een welkome afleiding voor de anderen vormen.

Na een overheerlijk diner drinken ze koffie op het terras. Achter de bomen begint de zon zich langzaam terug te trekken, de temperatuur daalt maar blijft aangenaam. Met kleine slokken drinkt Zita van haar cappuccino. Rondom haar kabbelen de gesprekken voort. Ze neemt er niet aan deel en doet geen enkele moeite ze te volgen. Waarom lukt het haar toch niet om haar gedachten aan Tirza een halt toe te roepen? Ze moet zichzelf beheersen om niet naar huis te bellen. Ze heeft zelfs overwogen om Kelly een sms'je te sturen en te vragen of ze goed wil opletten of Tirza wel iets eet. Alsof dat iets zou bijdragen aan haar gemoedsrust. Alsof Kelly iets aan de eetgewoonten van Tirza zou kunnen veranderen.

Tijdens het diner was ze overvallen door een diepe neerslachtigheid. Zwijgend had ze de heerlijkheden naar binnen gewerkt zonder er ook maar een moment van te genieten. Dat Wijnand wel zichtbaar genoot had haar boos gemaakt. Ze had hem afgesnauwd toen hij bezorgd had opgemerkt dat ze moest proberen om even niet aan Tirza te denken.

Annabel had haar proberen te troosten. 'Je kunt er momenteel niets aan veranderen en in die paar dagen dat je hier bent, zal er toch niet zo heel veel kunnen gebeuren.'

Daarom deelde ze haar zorgen om Tirza niet met Annabel. Ze had altijd woorden klaar om haar problemen te bagatelliseren. Olaf had haar, tenminste nog zonder iets te zeggen, bemoedigend toegeknikt. Waarom lukt het Wijnand wel om opgewekt aan het gesprek deel te nemen? Zita hoort hem lachen, zichtbaar genietend van het mooie weer en de fraaie omgeving. Mannen zijn anders op dat gebied, hoorde je altijd. Voor Wijnand gold dat in elk geval.

Alle verantwoordelijkheid legt hij op haar schouders. Buiten de deur zal hij misschien goed zijn in het oplossen van problemen, maar thuis voegt hij niets toe. Als er moeilijkheden zijn, legt hij die op haar bord en zij torst ze mee en lost ze op. Dit keer valt er niets op te lossen. Hoe ze ook op Tirza inpraat, haar jongste dochter neemt niets van haar aan.

Opnieuw klinkt de aanstekelijke lach van Wijnand. Ze neemt het hem kwalijk en tegelijkertijd bewondert ze hem erom. Wijnand kan het. Ze moet een voorbeeld aan hem nemen. Als ze zo zuur blijft, had ze net zo goed dit weekend niet weg kunnen gaan. Loslaten moet ze. Niemand is erbij gebaat als ze hier de stemming bederft, en ze is al aardig op weg. De anderen negeren haar en ze hebben gelijk, beter geen gesprek dan zo'n zwaar en cynisch gesprek.

'Wat gaan we morgen doen?' informeert ze ineens terwijl ze haar lege koffiekopje op de schotel deponeert. Ze onderschept de blikken vol verwondering die haar toegeworpen worden. Alsof het niemand was opgevallen dat zij hier ook nog zat. Misschien had ze gewoon thuis moeten blijven, dan had Wijnand meer plezier gehad. Hij redt zich echt wel zonder haar. Iedereen redt zich zonder haar.

De ober komt voorbij. Ze trekt hem aan z'n jasje. 'Zet hier nog maar zo'n fles van die uitstekende wijn neer. Ik trakteer! En heeft iemand al een voorstel?'

Iemand heeft de weegschaal verdonkeremaand. Tirza ontdekt het als ze zich wil wegen en de weegschaal niet op de gebruikelijke plek onder haar bed vindt. Woedend maakt het haar, een felle, hete woede stijgt in haar op. Is dit nu de manier waarop iedereen haar denkt te helpen? Geloven ze werkelijk dat ze zal stoppen met lijnen als er geen weegschaal in de buurt is? Heeft Kelly dit op haar geweten of vond haar moeder het nodig om voor haar vertrek nog een goede daad te verrichten?

Ze zoekt in de badkamer, waar de weegschaal stond voor zij die naar haar kamer had ontvoerd. De weegschaal, vriend en vijand tegelijk, is nergens te zien. Nogmaals kijkt ze in haar kamer, waar haar blik haar spiegelbeeld vangt, maar geen weegschaal ontdekt. Onweerstaanbaar wordt ze naar die spiegel toegetrokken. Ze kijkt naar zichzelf in haar ondergoed en ziet dat het nog lang niet goed is. Zoals altijd lokt ook nu dat spiegelbeeld die stem in haar hoofd uit. 'Je bent er nog lang niet, dat zie je natuurlijk wel. Je moet doorzetten, want als je zo doorgaat, komt het niet goed. Je hebt geen weegschaal nodig om te zien dat er nog wel wat vanaf moet. Kijk die bovenbenen eens. Wie mooi wil zijn, moet pijn lijden. Jij moet veel meer lijden.'

Die gedachten vermoeien haar zo dat ze ertoe neigt om op bed te gaan liggen en daar eindeloos te blijven liggen, maar tegelijkertijd voelt ze een koortsachtige drang om de weegschaal te zoeken. Ze móét hem vinden.

Dat zorgt ervoor dat ze haar huispak aantrekt en naar beneden loopt. Halverwege de trap moet ze even blijven staan. Het voelt alsof de woede haar de adem beneemt en haar hart op hol laat slaan. Haar knieën doen pijn. Het is goed dat ze pijn heeft. Ze verdient niet anders dan pijn, ze is waardeloos en lelijk. Waardeloos en lelijk, die woorden dreunen in haar hoofd bij elke stap die ze doet. Waardeloos en lelijk...

Vanuit de keuken klinkt de heldere stem van Kelly die met de radio meezingt.

'Heb jij de weegschaal gezien?' informeert Tirza humeurig als ze de deur opent. Kelly stopt abrupt met zingen, ze breekt een ei in de pan. Vrolijk en mooi ziet ze eruit in haar rok met bonte kleuren waarop ze een felrood bloesje met korte mouwen draagt. Onvoorstelbaar, dat ze het niet koud heeft. Tirza rilt in het donkerbruine velours huispak dat op haar zitvlak al een beetje begint te slijten.

'Wat moet ik nou met de weegschaal?' reageert Kelly verbaasd.

'Wat moet ik nou met de weegschaal?' bauwt ze haar na. 'Normaal gesproken ga je erop staan om je te wegen.'

'Aangezien jij hier in huis degene bent die door je gewicht geobsedeerd is, lijkt het me logisch dat jij de plaats van de weegschaal weet.' Kelly houdt haar ei nauwlettend in de gaten.

'Die weegschaal staat normaal in mijn kamer.'

'Dan zal die daar nu toch nog wel staan? Zeg, kan ik voor jou misschien iets klaarmaken? Een boterham met een heel klein beetje light margarine? Het is mooi weer. We kunnen buiten eten.'

'Ik heb niet veel trek.'

'Je moet toch iets eten?'

Ze wil iets zeggen maar als ze Kelly's smekende gezicht ziet, perst ze haar lippen op elkaar en schudt haar hoofd. Voor Kelly nog meer kan zeggen, is ze al op weg naar boven. Nogmaals inspecteert ze haar kamer en de badkamer, om onder het bed van haar ouders uiteindelijk de weegschaal terug te vinden. Even later vertelt de zwarte wijzer wat ze eerder al in de spiegel zag. Ze is twee ons aangekomen. Ze is een geboren verliezer.

Zita drinkt nooit zoveel, maar vanavond is het prettig. Terwijl de avond koeler wordt en de ronde lampen het terras sfeervol verlichten, worden haar wangen warm en blozend, en haar gedachten lichter. Meer dan eens klinkt haar lach luid over het terras. Ineens heeft de naam van Tirza geen zware lading meer. Over en weer wordt in het verleden gedoken, gezamenlijke herinneringen lokken vrolijkheid uit. 'Weet je nog dat we Jamina en Tirza een keer kwijt waren? Hoe oud waren ze toen?' vraagt Annabel zich af.

'Volgens mij waren ze niet ouder dan vier,' weet Zita, ze moet weer lachen bij de herinnering. 'Samen hadden ze bedacht dat ze in jullie schuur wilden overnachten, ze hadden er 's middags al prachtige bedden gemaakt met kussens van jullie tuinstoelen. Nadat ze daar een poos bleven spelen, waren ze aan het einde van de middag in slaap gevallen. Tegenover ons hadden ze met geen woord over hun plannen gerept en ineens waren we ze kwijt. Daar snap ik nu nog niets van, want ze moeten toch al een poosje weg zijn geweest.'

'Het weer was die dag niet denderend. Wij zaten binnen en we hadden gewoon niet gezien dat ze met die kussens in de weer waren geweest. Waarschijnlijk meenden we dat ze ergens op zolder waren.

Dat deden ze vaker. In ieder geval hadden we geen idee van hun wilde plannen om in de schuur te blijven slapen.'

'Ik weet wel dat ik bij jou koffie dronk en dat ik op een gegeven moment Tirza mee naar huis wilde nemen.'

'En Tirza was dus nergens te vinden en we kregen ook geen antwoord toen we de meiden riepen,' weet Annabel nog. 'Ik herinner me nog heel goed hoe ongerust we waren. We probeerden het allebei niet te laten merken, maar we zagen allerlei vreselijke scenario's voor ons.'

'We hebben overal gezocht en waren ten einde raad omdat we ze nergens zagen. Wat idioot toch dat we niet op het idee kwamen om eens in het schuurtje te gaan kijken.'

'Ik ben toen nog eerder thuisgekomen omdat jullie zo overstuur waren,' weet Wijnand.

'Ja, Olaf bleef gewoon op kantoor.' Annabel glimlacht naar hem. 'En toch kwam het verlossende idee uiteindelijk van hem.' Ze verdraait haar stem. 'Hebben jullie al in het schuurtje gekeken?'

Ze heeft een felroze, mouwloze bloes aan, waar ze nu een licht vestje overheen draagt. Annabel draagt eenvoudige, maar exclusieve kleding. Terwijl iedereen lacht, legt zij even haar hand op de arm van Olaf, alsof ze hem wil bezweren haar die eerste opmerking niet kwalijk te nemen.

'Waarbij maar weer duidelijk werd dat het loont om het hoofd koel te houden,' merkt hij op. In zijn lichtblauwe overhemd met korte mouwen zit een fijn streepje in dezelfde felroze kleur als de bloes van Annabel, als hij lacht haalt hij zijn hand over zijn uitdunnende haardos. Zijn donkere ogen houden de omgeving nauwlettend in de gaten.

'Olaf is altijd de beste,' zegt Zita en haar stem klinkt net iets te luid over het terras.

'Dat is wat ik nu al tweeëntwintig jaar roep,' redt Annabel de situatie als er een ongemakkelijke stilte dreigt te vallen. Ze strijkt Olaf liefdevol over de wang. 'Als ik jou toch niet had.'

'Als de wijn is in de vrouw,' declameert Olaf. 'Zoiets zegt ze nu nooit als ze nuchter is.'

'Ik denk dat het tijd wordt om naar bed te gaan.' Wijnand heeft zijn glas leeggedronken en staat op. 'Kom vrouw, we willen er morgen ook nog een gezellige dag van maken en dat lukt niet als we allemaal met een kater in bed liggen.'

'Morgen wil ik er niet zo vroeg uit.' Zita doet haar best om goed te articuleren, maar haar tong is onwillig.

'Dat hoeft ook niet.' Wijnand schuift zijn hand onder haar arm waardoor ze ook rechtop moet gaan staan. 'Morgen slaap je maar eens lekker uit. Mensen, welterusten en morgenochtend gaan jullie eerst maar gewoon je gang. Jullie zien ons wel verschijnen en de mobiele telefoons zijn geduldig.'

'Je bent een bovenste beste man, weet je dat?' Ze heeft hem een arm gegeven en doet haar best om keurig recht naast hem te lopen. Ze heeft echt het idee dat haar dat prima lukt.

Als ze de volgende morgen ontwaakt, ontdekt ze dat de plek naast haar leeg is. Voor het geopende raam beweegt de lichte vitrage zachtjes in de wind. Er klinken stemmen vanaf het terras. Een vage hoofdpijn klopt aan haar voorhoofd. Even blijft ze liggen en probeert zich de gebeurtenissen van de avond ervoor voor de geest te halen. De wijn smaakte goed, ze hadden veel gelachen, zij had veel meer gedronken dan ze normaal gesproken deed. Als ze nu maar geen rare dingen had gedaan. Langzaam gaat ze op de rand van het bed zitten, ze probeert te horen of ze de stemmen van Olaf, Annabel en Wijnand van het terras hoort klinken, maar er klinkt haar niets bekend in de oren. Op haar wekker ziet ze dat het al iets over tienen is. De tijd voor het ontbijt is al voorbij en dat terwijl ze best iets zou lusten. Ze rekt zich uit en draalt even voor het raam. Op het terras zijn de meeste stoelen verlaten, in een hoek ontdekt ze het lichtgele overhemd van Wijnand, die in de zon een boek zit te lezen. Af en toe nipt hij van een kop koffie. Ineens krijgt ze haast en even later staat ze onder de douche. Als ze zich heeft aangekleed, voelt ze zich beter. De hoofdpijn is verworden tot een vaag achtergrondgevoel, met wat make-up heeft ze haar bleke wangen opgepoetst en haar ogen laten stralen. Wijnand heeft altijd van haar ogen gehouden. Hij houdt ervan als ze zich goed verzorgt, en vanmorgen heeft ze op de een of andere manier het idee dat ze tegenover hem iets goed te maken heeft. Als ze buiten komt, ademt ze diep de frisse buitenlucht in voordat ze doorloopt naar het tafeltje waar Wijnand zit.

Hij begroet haar met een bezorgde glimlach. 'Heb je lekker geslapen?'

'Te lang.' Ze kust hem op z'n kruin voor ze gaat zitten. 'De tijd voor het ontbijt is al voorbij, hè?'

'Ah, mevrouw is wakker geworden.' Een vriendelijke ober duikt op alsof hij op haar heeft staan wachten. 'Kan ik u een kopje koffie aanbieden?'

Achter hem staat een serveerster met een mandje brood en een schaaltje met diverse soorten beleg.

'Ik heb iets kunnen regelen,' verklaart Wijnand. 'Je lag nog zo heerlijk te slapen. Ik had het gevoel dat je dat even nodig had.' Hij wrijft langs zijn onberispelijk geschoren kin, knikt naar de ober, bedankt de serveerster.

'Als mevrouw nog iets wenst moet u het maar even zeggen,' drukt de serveerster haar op het hart nadat ze nog een ei heeft gebracht. 'Ik wens u voor nu smakelijk eten.'

'Hoe heb je dat gedaan?' wil ze weten.

'Gewoon gevraagd.' Wijnand haalt zijn schouders op. 'Zo heel moeilijk was dat niet. Iedereen begrijpt wel dat een mens soms wat extra rust nodig heeft.'

'Denk je dat dat voor mij geldt?'

Hij knikt bedachtzaam, wrijft een restje koffie uit zijn mondhoek, schuift het lege kopje een eindje van zich af en kijkt naar haar terwijl zij met smaak een hap van haar croissant neemt. 'Spanning is vermoeiend.'

Ze wil iets zeggen maar ineens weet ze dat ze dan zal gaan huilen, dat ze voorlopig niet meer zal ophouden, dat ze alle onzekerheid van de afgelopen tijd eruit zal huilen. Met moeite weet ze de hap weg te werken, ze kijkt Wijnand niet aan. Het duurt even voor ze zichzelf weer onder controle heeft. Wijnand zwijgt, af en toe neemt hij een slok van zijn koffie.

'Heb ik me gisteravond erg misdragen?' informeert ze dan voorzichtig, terwijl ze wat nerveus aan haar felrode bermuda frunnikt.

'Waarom denk je dat?'

'Ik drink nooit zo veel.'

'Soms heb je ook dat even nodig.'

Misschien zou Wijnand af en toe niet zo zachtmoedig en begrijpend moeten zijn. Ze zou zich beter voelen als hij gewoon zou zeggen dat ze zich gisteravond belachelijk heeft aangesteld. Ze kan zich niet veel meer herinneren, maar wel de pijnlijke stiltes die af en toe na haar woorden vielen. Wijnand zou niet alles moeten vergoelijken. 'Toch had ik misschien niet...'

'Kijk eens aan, onze schone slaapster is ook uit de veren!' Olaf komt het terras op, op de voet gevolgd door Annabel, allebei stralend, sportief en uitgerust. Ze schuiven aan. 'Heb je lekker geslapen, Zita?' wil Annabel weten terwijl ze haar gebruinde benen onder de tafel strekt. 'Ik heb vanmorgen ook overwogen om wat langer te blijven liggen, maar de zon scheen zo heerlijk. Achteraf ben ik blij dat we zijn gaan wandelen, het was nu nog zo lekker rustig in het bos.'

'We ontdekten net een reegeit met jong tussen de bomen,' vertelt Olaf. 'Ik zag haar net op tijd, zodat ik Annabel kon waarschuwen. Het heeft een hele tijd geduurd voor ze ons in de gaten kreeg en al die tijd scharrelde ze op haar gemak rond. Het was prachtig om te zien.'

De avond ervoor is heel ver weg. Olaf bestelt koffie met appelgebak. Annabel vertelt dat ze ook een stuk over de heidevelden hebben gelopen en dat ze zich daar alleen op de wereld waanden. Stilletjes werkt Zita een broodje naar binnen.

Lief dagboek, vandaag voel ik me weer ellendig. Zo ellendig dat ik alleen mijn dagboek nog als een vriendin beschouw. Dan moet het toch wel heel erg met me gesteld zijn. Ik kan er ook een naam boven zetten, zoals Anne Frank deed. Lieve Samantha of lieve Martine of zo. Op de een of andere manier klinkt dat als zo'n rubriek voor wanhopige mensen, dus dat doe ik ook maar niet. Nou ja, ik voel me wel wanhopig.

6

DE SOOS OP ZONDAGMIDDAG IS AL GEWOON GEWORDEN. DE JONGEN die Jamina deze middag aanspreekt nog niet. 'Vertel mij nou eens wat je hier zoekt.' Een paar grijsblauwe ogen kijken haar spottend aan. Vragend rijzen de blonde wenkbrauwen.

'Hoe bedoel je?'

'Laten we eerlijk zijn, zo'n keurige soos is niets voor een schoonheid als jij.'

Tot haar ergernis krijgt ze een kleur. 'Ik vraag toch ook niet aan jou wat je hier zoekt? Bovendien wordt hier helemaal niet op uiterlijke schoonheid gelet.' Het klinkt kattiger dan ze wil.

'Je hebt gelijk.' Hij steekt zijn hand uit en na een lichte aarzeling, grijpt ze die. Ze voelt zijn stevige handdruk en hoort hem zeggen. 'Ik heet Finn Hartgers.'

'Finn, wat een aparte naam.'

'Het schijnt iets Scandinavisch te zijn. Mijn ouders zijn fervente Scandinavië-gangers en vooral mijn moeder was helemaal weg van de naam. Mag ik ook weten hoe jij heet?'

'Jamina Meyerink.'

Ze heeft zichzelf net een glas cola ingeschonken bij de bar in de kerkzaal, waar de zondagse jeugdsoos gehouden wordt. 'Wil jij ook iets drinken?'

'Een biertje is hier zeker niet te krijgen?'

'Doe maar niet zo stoer. Wil je cola, sinas of jus d'orange?'

Hij lacht. 'Cola dan maar. Jij trakteert?'

'Uiteraard, de drank is hier gratis op zondagmiddag, dus dan trakteer ik graag.' Haar ergernis is verdwenen, haar interesse neemt toe. 'Hoe ben jij hier zo verzeild geraakt?'

'Ik ben pas met mijn ouders in Emelwerth komen wonen.' De spot is uit zijn houding verdwenen. 'Mijn ouders zijn vanmorgen naar de kerk geweest en ze hoorden over deze soos. Volgens mijn moeder was dat een uitgelezen gelegenheid om mensen te leren kennen. Ik voelde er helemaal niets voor, maar uiteindelijk zat ik me vanmiddag stierlijk te vervelen en toen heb ik besloten hier toch maar eens te gaan kijken.'

'Ik heb het idee dat het je niet meevalt.'

'In mijn vorige woonplaats meed ik dit soort evenementen als de pest.'

'Waarom?' Ze kijkt hem onderzoekend aan. 'Zo erg is het toch niet om samen over de Bijbel te praten? Ik vind het wel interessant. Soms kom ik tot heel nieuwe inzichten.'

'Vind je het echt nuttig om een discussie aan te gaan over de staat waarin David Saul destijds in de spelonk aantrof? Sliep Saul, zoals ik me al weet te herinneren van de plaatjes uit mijn kinderbijbel, of deed hij werkelijk zijn behoefte zoals in de nieuwe bijbelvertaling staat?'

'Spot er maar mee. We praten hier over van alles. Wat wordt er van ons verwacht als christen? Wat wordt er gezegd over homoseksualiteit, over echtscheiding, over al die dingen die in onze maatschappij spelen?'

'En dan?' Hij zegt het onverwacht fel. 'Jullie zetten aan het einde van de middag een aantal bijbelteksten achter elkaar, trekken een conclusie en daar wijken jullie dan niet meer vanaf?'

'Helemaal niet. We realiseren ons dat we mensen zijn en dat er heel veel is wat we niet kunnen begrijpen. Ik realiseer me dat in ieder geval. De Bijbel is lang niet altijd duidelijk, maar het is wel intrigerend om erover te praten. Het wordt voor mij eigenlijk steeds duidelijker dat het aanhalen van bijbelteksten lang niet altijd voldoet. Vaak gebruiken mensen die teksten als het zo in hun straatje uitkomt en dat is niet goed. Ik vind het zelfs gevaarlijk.'

Ze ziet hoe hij met grote slokken zijn glas leegdrinkt en het terug op de bar zet.

'We gaan zo beginnen met de quiz,' roept Joep, die deze middag de leiding heeft, door de zaal. 'Zoeken jullie allemaal weer een plaatsje?'

'Een quiz,' herhaalt Finn. 'Vind je het erg als ik meer behoefte voel aan een wandeling in de zon?'
Ze kijkt hem peilend aan.
'Vind je dat een erg zondig voorstel?' informeert hij, terwijl rondom hen de anderen een plaatsje aan de verschillende tafels zoeken.
'Komen jullie er ook bij?' vraagt Joep. 'Daar achteraan zijn nog twee stoelen vrij.'
Jamina schudt haar hoofd. 'Ik ga vandaag wat eerder weg.' Ze zet haar nog halfvolle glas naast het lege van Finn en draait zich om. Joep roept nog iets, maar ze verstaat het niet. Finn sluit de deur achter hen.

Tirza heeft net haar joggingbroek aangetrokken als er op haar deur wordt geklopt. Voor ze iets kan zeggen, wordt die deur al geopend en Kelly's verontschuldigende gezicht verschijnt om het hoekje. 'Ik heb wat bouillon. Ik dacht... misschien heb je toch wel wat honger en bouillon kan niet veel kwaad.'
'Is dat van een blokje?'
'Ik heb er maar een half blokje in gedaan.'
'Zo'n tien calorieën,' weet ze.
'Zal ik echt geen boterham voor je smeren?'
'Ik heb hier wel genoeg aan.' Ze vouwt haar handen om de warme beker die Kelly haar aanreikt.
'Hoeveel ben je in totaal afgevallen?' Kelly schijnt van plan haar gezelschap te houden. Ze ploft op haar bed met de bontgekleurde sprei neer en kijkt haar onderzoekend aan.
'Ik weet het niet precies.' De warmte van de beker lijkt niet door haar huid heen te dringen.
'Maak dat de kat wijs. Je bent van elk grammetje dat je verliest of aankomt op de hoogte.'
Er valt een ongemakkelijk zwijgen. Tirza drinkt een heel klein slokje, maar het staat haar ineens tegen. Ze zet de beker op haar nachtkastje.

'Ben je tien kilo afgevallen?' houdt Kelly aan. 'Welnee, het moet veel meer dan tien kilo zijn. Vijftien kilo?' Ze slaat haar gebruinde benen over elkaar, bestudeert haar rood gelakte teennagels en kijkt dan weer naar Tirza. 'Meer dan vijftien misschien?'

Waarom houdt Kelly toch zo aan? Waarom kan ze niet over iets anders praten? Kelly begrijpt het niet, en als ze het niet begrijpt moet ze gewoon haar mond houden. Ze pakt de beker opnieuw in haar handen en neemt nog een slok om niets te hoeven zeggen.

'Het is zelfs meer dan vijftien kilo,' concludeert Kelly. 'Is het al twintig kilo, Tir? Weet je wel dat het hartstikke gevaarlijk is?'

'Ik weet wat ik doe. Je doet steeds alsof ik achterlijk ben omdat jij toevallig een opleiding voor verpleegkundige volgt.'

'Dat heeft er helemaal niets mee te maken en dat weet je best.'

'Wel waar.'

'Tirza, dit is geen onschuldig spelletje. Je kunt er dood aan gaan, begrijp dat dan.'

Begrijpen? Wat moet ze begrijpen? Met elk woord dat Kelly spreekt, neemt haar vastberadenheid om door te zetten toe.

'Als je zo doorgaat, beland je toch een keer in het ziekenhuis. Je kunt ervan op aan dat je dan niet weer naar huis komt maar naar een speciale kliniek gestuurd wordt.

'Zover komt het heus niet.' Ze kijkt Kelly niet aan, haar ogen vangen de schilderijen die aan weerszijden van de spiegel hangen. Van 'Mijn angst' glijdt haar blik naar 'Mijn droom.' Een droom die nog steeds onbereikbaar lijkt.

Jamina heeft Finn door de straten van het centrum van Emelwerth geloodst, langs de huizen die van vlak na de oorlog zijn, en die het beginstadium van de plaats vertegenwoordigen. Ooit was hier de zee. Nu wordt er geleefd en gebouwd. In de loop der jaren hebben zich hier steeds nieuwe bedrijven gevestigd en werden nieuwbouwwijken uit de grond gestampt. Ooit kwamen hier mensen vanuit het hele land wonen. Pioniers hielpen om de polder bewoonbaar te maken, boeren bewerkten de vruchtbare kleigrond. Nu staan er fraaie bungalows. Een eindje verderop passeren ze een modern appartementencomplex en het zwembad waarachter het bos begint. Er staan auto's op de parkeerplaats. Een jong gezin loopt voor hen uit in de richting van de kinderboerderij. De vader houdt zijn dochter bij de hand, terwijl de grotere jongen voor hen uit rent. Helemaal achteraan volgt de moeder met een kinderwagen. Vanuit de verte klinkt het balken van een ezel, een parelhoen schreeuwt. 'Wat is dat?' vraagt het meisje aan haar vader. Jamina ziet hoe de man zijn schouders ophaalt. 'Een soort vogel, misschien een pauw?'

'Het is de parelhoen!' roept het jongetje triomfantelijk. Hij rent terug. 'Papa, weet jij dat niet?'

'Ik ga niet zo vaak naar de kinderboerderij,' reageert de vader. Hij blijft even staan zodat Jamina en Finn kunnen passeren. Even later lopen ze achter een ouder echtpaar dat stevig gearmd over het smalle pad loopt.

Finn zwijgt.

Jamina vraagt zich af of ze het prettig vindt om hier met hem te zijn. Hun gesprek verloopt moeizaam. Ze zoekt steeds naar andere onderwerpen, maar hij geeft spaarzaam antwoorden.

'Was je niet liever in Haarlem gebleven?' probeert ze nu nog eens.

'Ik heb dat wel overwogen.' Hij gaat wat sneller lopen en haalt het oudere echtpaar in. 'In Haarlem volgde ik de opleiding journalistiek en daarom wilde ik blijven. Twee maanden geleden heb ik besloten om ermee te stoppen en toen vond ik dat ik wel mee kon verhuizen. Hier in de polder hoop ik werk te vinden en dan wil ik na de zomervakantie aan een andere opleiding in Zwartburg beginnen. Misschien ga ik daar dan wel op kamers. Heb jij nog geen zin om het huis uit te gaan?'

'Mijn ouders vinden me nog te jong. En dat terwijl ik inmiddels achttien ben.'

'En je ouders vinden ook dat je naar de soos van de kerk moet op zondagmiddag?'

'Dat is mijn eigen keuze.' Ze hoort zelf dat het er verontschuldigend uitkomt. 'Er komen leuke mensen die ik al ken van de kindernevendiensten. Ik ga er nog niet zo heel lang heen, omdat ik op zondagmiddag altijd bij een vriendin was.' Ze klemt haar lippen op elkaar. 'En nu niet meer?'

Vanuit haar ooghoek ziet ze dat hij haar oplettend aankijkt. Zijn blonde haar valt over zijn voorhoofd, met een snel gebaar veegt hij het weg.

'De laatste tijd gaat het niet zo goed met die vriendin,' zegt ze voorzichtig. 'Het is ook net of we elkaar een beetje kwijtraken.'

'Heeft ze verkering of zo?'

'Dan zou het toch wel goed met haar gaan. Nee, ik kan het niet zeggen.'

'Zoals je wilt.'

Er valt opnieuw een zwijgen tussen hen, maar plotseling is het geen ongemakkelijk zwijgen meer. Ze zou nog eindeloos naast hem willen blijven lopen.

De koffers staan nog in de gang, maar het grootste deel van de inhoud ligt al gewassen en gestreken in de kast. Daarmee is de maandag na thuiskomst voor Annabel in een snel tempo voorbij gegleden. Deze dinsdagmorgen is alles weer zoals het was. Alleen de koffers herinneren aan het weekend. Ze kan er nog niet toe komen om ze naar hun plek op zolder te brengen en ze weet zelf niet hoe dat komt. De dagelijkse regelmaat heeft ze er in ieder geval niet mee kunnen tegenhouden. Vanmorgen heeft ze Zita weer voorbij zien fietsen, haastig zoals altijd. Kort daarvoor was Tirza langsgekomen. Ze had niet eens haar hand opgestoken, terwijl ze eerder altijd voor het huis wachtte tot Jamina klaar was om mee naar school te fietsen. Vanmorgen leek het alsof ze hun huis zo snel mogelijk wilde passeren, maar in dat korte moment was het Annabel opgevallen hoe ze kleumde. In elkaar gedoken zat ze op haar fiets terwijl ze stevig doortrapte.

Het had haar geraakt en misschien dat ze daarom later zo tegen Jamina was uitgevallen. Er leek geen grotere tegenstelling mogelijk tussen haar dochter die op deze dinsdagmorgen zo uitbundig aanwezig was, en Tirza die steeds minder ruimte in leek te nemen. Ze voelt zich schuldig, zonder te weten waarom. Ze kan er niets aan doen en toch raakt ze dat gevoel niet kwijt.

Aan de ontbijttafel werkte Jamina in ijltempo een boterham met veel te veel hagelslag naar binnen. 'Ik zag Tirza net voorbij gaan. Sinds wanneer fietsen jullie niet meer samen?' had ze gevraagd.

'Kom je daar nou pas achter?' Jamina praatte met volle mond. 'Dat is al even zo. Tirza vindt tegenwoordig namelijk dat ik te langzaam fiets. Waarschijnlijk verbrandt ze te weinig calorieën bij mijn tempo.' Het laatste kwam er spottend uit.

'Ik heb liever dat je eerst je mond leeg eet voor je praat.' Het irriteerde haar dat ze op die manier over Tirza praatte.

'Jij vraagt me toch iets terwijl ik aan het eten ben?'

'Ik kan best even wachten tot jij je mond leeg hebt,' had ze gezegd.

'Ik niet. Ik moet snel naar school.'

'Hebben jullie echt geen onenigheid gehad? Het is toch heel raar dat er aan een levenslange vriendschap zo'n abrupt einde komt?'

'Wie zegt dat er een einde aan onze vriendschap is gekomen? Tirza fietst momenteel liever alleen en op zondagmiddag wil ze niet mee naar de soos. Voor de rest zitten we nog gewoon naast elkaar op school. Geen vuiltje aan de lucht.'

'Het zit me gewoon niet lekker. Jullie waren hartsvriendinnen!'

'Wat weet jij ervan? Ik heb genoeg m'n best gedaan en ik ga weer een hap nemen zodat ik je geen antwoord meer kan geven. Het is trouwens tijd om weg te gaan. Tot vanmiddag!'

'Zo kom je er niet vanaf!'

Jamina was opgestaan. Ze had het laatste stuk brood in haar mond gepropt en haar uitdagend aangekeken.

'We praten vanmiddag wel verder.'

'Er valt niets meer te praten!' had haar dochter toch met volle mond uitgeroepen. Daarna had ze haar broodtrommel in de tas gestopt en was verdwenen, voordat ze er nog iets tegenin had kunnen brengen. Zij had zichzelf een kop thee ingeschonken en nu zit ze nog aan de ontbijttafel terwijl een eindeloze, stille morgen zich voor haar uitstrekt.

Lijkt het zo, of praat er tegenwoordig niemand meer?

Olaf wil niet over Kenneth praten. Floris was vanmorgen, zoals gebruikelijk, zijn eigen gang gegaan en had zwijgend zijn ontbijt genuttigd. Jamina wimpelt elk gesprek af. Zij staat aan de zijlijn en lijkt niet bij machte daar ook maar iets aan te doen.

Zelfs tijdens het zonovergoten afgelopen weekend was het zo gegaan. Oppervlakkig bezien waren het geslaagde dagen geweest. Samen hadden ze gewandeld, op het terras gezeten, veel gepraat en gelachen. Zij wist dat het anders was dan de andere weekenden die ze samen hadden doorgebracht. Zij had de nauw verholen beschuldigingen van Zita heel goed opgemerkt. Dat ze onder druk van Wijnand had ingebonden, had daar niets aan veranderd. Normaal gesproken waren er tijdens zo'n weekend altijd momenten van vertrouwelijkheid tussen Zita en haar. Zita had die momenten nu zorgvuldig ontweken. Af en toe waren haar de diepere bodems onder Zita's vrolijke woorden opgevallen. Onderhuids broeide iets, ze wist het zeker, al vond Olaf dat ze zich voor niets opwond.

Tijdens haar wandeling samen met Olaf had ze hem gevraagd wat hij ervan vond. Hij had het niet eens begrepen. 'Wat zeur je nou toch? We hebben het toch gezellig en het was toch de bedoeling dat Zita hier even tot rust kwam? Ik denk dat het juist goed is dat ze even niet over Tirza praat.'

'Ik heb het idee dat ze er best over wil praten, maar dat Wijnand het haar belet. Vind je niet dat ik toch moet proberen...'

'Nee!' was hij haar in de rede gevallen. 'Als Zita er met je over wil praten zal ze dat wel doen en, haar kennende, zal ze zich zeker niet door Wijnand laten tegenhouden. Probeer nu eens een keer niet door te zeuren en laten we er een leuk weekend van maken.'

Dat was het uiteindelijk geworden. 'Een leuk weekend,' niet meer en niet minder. Ze hadden uitbundig gelachen en de anderen zouden dit weekend waarschijnlijk als geslaagd betitelen. Annabel zucht. Ze had werkelijk geprobeerd om zichzelf voor te houden dat er geen enkele reden was om zich schuldig te voelen. Het was niet haar schuld dat Zita niet vertrouwelijk werd, en het was net zomin haar schuld dat Jamina niet meer zoveel met Tirza omging.

Toch had haar dat gevoel vanmorgen weer parten gespeeld. Daarom was ze zo fel geweest naar Jamina. Het voelt alsof ze iets heeft misdaan zonder dat ze weet wat ze dan heeft misdaan. Ze weet ook dat het al langer speelt dan dit weekend.

Tijdens hun wekelijkse sportuurtje blijven de gesprekken tegenwoordig oppervlakkig, als ze samen wandelen gaan ze nooit meer zo de diepte in, en na een partijtje tennis laat Zita ook het achterste van haar tong niet meer zien. Ligt dat aan haar? Straalt zij iets uit waardoor Zita het idee heeft dat ze niet geïnteresseerd is?

Ze leunt met haar ellebogen op de ontbijttafel en steunt haar hoofd in haar handen. Haar blik glijdt over de borden vol kruimels, een theekopje met een bodempje thee, drie uitgedroogde boterhammen in het pitrieten mandje. Ze ruimt altijd direct op. Maar vanmorgen niet.

Stil ligt de ochtend voor haar. Het is goed dat er vanmiddag een vergadering van de Ouderenbezoekgroep op het programma staat. Het is goed om vanmiddag met andere dingen bezig te moeten zijn. De morgen is al lang genoeg.

Jamina trapt als een bezetene door de grijze ochtend die vanmorgen maar zo weinig zon doorlaat. In de verte ontwaart ze de smalle rug van Tirza. Hoe is het mogelijk? Tirza is tegenwoordig veel sneller. Op haar horloge ontdekt ze nu dat ze wel ietsje rustiger kan fietsen. Ze mindert vaart, achter haar gaat iemand vol in de remmen. Nog voor ze geschrokken om kan kijken, hoort ze zijn opgewekte stem. 'Je hebt wel haast om naar school te komen. Ik was werkelijk bang dat ik je niet meer in zou halen.' Zijn verwarrende grijsblauwe ogen vangen de hare.

'Finn?'

'Ah, je kent me nog.' Hij grijnst breed.

'Ik moet wel een beetje doorfietsen,' merkt ze enigszins nerveus op. 'Anders kom ik te laat.' De afstand tussen Tirza en haar is groter geworden.

'Volgens mij heb je nog zo'n tien minuten.' Er dansen pretlichtjes in zijn ogen, ze heeft moeite om zich van zijn blik los te maken. Het is net of die blik haar omhelst.

'Rij je wel even rechtdoor?' Hij grijpt haar stuur als ze hem te veel nadert.

'Idioot!' schrikt ze, en vergroot de afstand tussen hen. 'Ik heb dus niet veel tijd,' herhaalt ze nog eens.

'Ik fiets alleen maar een eindje met je op. Het leek me vandaag een goede dag om naar het CWI te gaan om eens te informeren naar werk in de buurt.'

'En hoe kom je hier dan zo verzeild?'

'Ik weet dat je hier elke morgen langsfietst, dat heb je me zondag verteld.' Heel even lijkt hij onzeker. 'Ik wilde je gewoon graag weer zien.'

Ze zou nu niet tot aan haar haarwortels moeten kleuren, ze zou nu zeker zijn blik moeten mijden, maar ze doet het niet. Ze kijkt hem aan en wordt opnieuw in zijn blik gevangen tot hun sturen daadwerkelijk in elkaar haken, en ze met een smak op de grond beland, onder zijn fiets.

'Sorry,' zegt hij. 'Ik kon je niet zo gauw meer waarschuwen. Heb je je pijn gedaan?' Onhandig sjort hij aan zijn fiets, trekt haar dan overeind, zijn handen voelen warm door de dunne stof van haar zomerjasje.

Ze schudt haar hoofd. 'Ik was zelf zo stom.' Ze probeert haar fiets weer overeind te trekken.

'Laat mij dat doen.' Hij buigt zich naar haar toe, nog eens laat hij zijn blik op haar rusten. Het is of zijn ogen haar betoveren. Ze weet later zelf niet meer of zij het nu was die haar lippen op de zijne drukte of dat hij toch begon. Wat ze zich herinnert is het intense gevoel van liefde dat haar doorstroomde én dat ze te laat op school kwam.

Na schooltijd ziet ze hem bij de straat staan wachten. Ze treuzelt in het fietsenhok, tot ze Tirza weg ziet fietsen. Het geluk van de vroege ochtend zindert nog in haar door. De hele dag heeft ze het gevoeld, mevrouw Barends had zelfs geïnformeerd of ze de lotto had gewonnen. Dat verliefdheid zo kon voelen heeft ze nooit geweten. Met een glimlach stapt ze op haar fiets. De zon heeft een gat in de grijsheid geslagen en lijkt haar stemming mee te vieren. Gehaast propt ze haar jasje bovenop haar schooltas, onder de snelbinders. Trots fietst ze het schoolterrein af. Haar glimlach wordt breder, haar ogen stralen als ze hem nadert. Als ze even later naast hem fietst, voelt ze zich onoverwinnelijk.

'Fietsen we samen een eindje?' vraagt hij terwijl zijn blik liefkozend over haar gezicht glijdt.

'Waar wil je heen?'

'Ik heb vanmorgen, nadat ik bij het cwi was, al een route uitgestippeld,' bekent hij. 'Overigens was dat nuttiger dan mijn bezoek aan die instantie, want ze konden niets voor me doen. Ik ga morgen dus zelf maar eens vragen bij bedrijven en boerderijen of er ergens werk voor me is.'

'Mijn vader zou het toejuichen,' zegt ze. 'Hij roemt eigen initiatief als iets waarmee je in het leven vooruit komt.'

'Dan kom ik alvast in een goed blaadje bij je vader.'

'Die voorlopig nog van niets weet.' Ze lacht. 'Maar wat had je in gedachten?'

'Ik heb hier een fraaie plas in de buurt ontdekt. Het leek me fijn om daar een uurtje met je te zitten.'

'Een uurtje maar?'

'De rest van de dag, of beter, de rest van m'n leven.' Hij strijkt met zijn hand langs haar warme wang en weet nog net te voorkomen dat ze weer op de grond belanden. 'Ik weet overigens niet of je ouders dat op prijs zouden stellen.'

'Daar wil ik even niet aan denken.' Het leven is licht, haar hart boordevol geluk. Steeds weer moet ze naar hem kijken, zijn blik indrinken. Ze is verliefd tot in de toppen van haar tenen. Zijn aanwezigheid voelt vertrouwd, alsof ze hem al jaren kent. De wereld doet er niet langer toe. Het is Finn en zij, en ze is ervan overtuigd dat dit nooit meer voorbij zal gaan.

Als ze twee uur later haar huis nadert, is die gelukkige onverschilligheid van haar afgegleden. Plotseling bestaat er weer een moeder, en een klok die aangeeft dat ze nu wel heel laat is. Nu dringt de gedachte zich aan haar op dat het misschien verstandiger zou zijn geweest als ze even een sms'je had gestuurd.

Ze ontwaart haar moeder al voor het raam, repeteert in de schuur nog wat ze voor haar verdediging aan kan voeren, maar als ze door de geopende keukendeur binnenstapt, weet ze direct dat er niets te verdedigen valt. Haar moeder heeft rode wangen en vlekken in haar hals. Rust en redelijkheid zullen ver te zoeken zijn.

'Waar kom jij zo laat vandaan?'

Die vraag had ze natuurlijk verwacht, maar haar zorgvuldig ingestudeerde antwoord schiet nu schromelijk tekort. 'Ik was wat later uit school en omdat het zulk lekker weer is, heb ik een eindje omgefietst.'

'Denk je nu echt dat je me daarmee kunt afschepen? Jij hebt nog nooit voor je plezier een eindje omgefietst. Aan je conditie werk je meestal ook niet, dus ik kan niet anders concluderen dan dat er iets anders achter zit. Vertel je het vrijwillig of moet ik eerst heel vervelend gaan doen?'

Jamina ziet de verontwaardiging van haar moeder weerspiegeld in de manier waarop ze door de roomsaus roert.

'Ik ben naar de Waardenplas geweest en daar heb ik een poosje in de zon gezeten. Lekkere saus trouwens, mag ik even proeven?'

'Met Tirza?' haar moeder laat zich niet afleiden.

Jamina zucht demonstratief. 'Natuurlijk niet. Je weet toch dat Tirza zulke dingen helemaal niet meer wil?'

'Als het Tirza niet was, met wie was je daar dan wel?'

'Met iemand die ik ken.' De tegenzin druipt van haar houding af.

Nu is het haar moeders beurt om te zuchten. Ze draait zich om alsof ze zich weer aan het eten gaat wijden. 'Misschien was het verstandig geweest om me even per telefoon op de hoogte te stellen van je oponthoud. Ik weet niet of je het je voor kunt stellen, maar ik was ongerust.'

'Het spijt me.'

'Dat is altijd heel makkelijk gezegd.'

'Goed mam, ik was met een jongen die ik zondag bij de jeugdsoos heb ontmoet.'

'Zo moeilijk was het toch niet om dat te vertellen?'

'Soms wil je dingen nog even voor jezelf houden.'

'Dan zul je dat in het vervolg wat handiger moeten aanpakken. Ken ik die jongen overigens? Begrijp ik goed dat hij van onze kerk is?'

'Ja mam, hij is van onze kerk maar je kent hem niet want hij is net met z'n ouders vanuit Haarlem hier naartoe verhuisd. Overigens denk ik dat het goed is dat ik nu vast aan m'n huiswerk begin.' De saus is klaar. Haar moeder zet de pan op het aanrecht en weet Jamina er nog net van te weerhouden met haar wijsvinger een lik te nemen door het deksel er met een klap bovenop te plaatsen.

'We gaan zo eten, dus dat huiswerk moet je maar voor later bewaren. Misschien kun jij even de tafel dekken?'

Natuurlijk kan ze nu niet weigeren.

'Jamina, ik weet dat je het vervelend vindt, maar ik moet het toch vragen. Weet je zeker dat die jongen niets te maken heeft met de verwijdering tussen Tirza en jou?'

'Ik heb hem afgelopen zondag pas ontmoet!' Ze voelt de verontwaardiging hoog in zich opschieten, maar die ebt ook direct weer weg als ze haar moeder hoort zeggen, 'Het spijt me. Je hebt gelijk, maar het zit me zo dwars.'

'Dat begrijp ik toch.' Jamina slaat haar armen om haar heen. 'Het zit mij ook dwars. Ik wil Tirza zo graag terug, maar het lukt me niet. Het lukt me gewoon niet.' Voor haar moeder nog iets kan zeggen, is ze dan al naar de kamer verdwenen, waar ze met veel lawaai de tafel begint te dekken.

Papa en mama zijn weer terug, dus weer een hoop gezeur. Ik ben blij dat ik tegenwoordig mijn vinger in m'n keel durf te steken. In het begin vond ik dat heel eng, maar het went. Ik moet er gewoon wat voor over hebben.

7

HAAR TAS HANGT BOVEN AAN DE VLAGGENSTOK. HET ROOD-WIT-blauw daaronder wappert opgewekt in de wind. Tirza kan zich niet heugen ooit zo zenuwachtig te zijn geweest als deze morgen waarop de minuten voortkropen en de telefoon het middelpunt van haar bestaan leek. Op het moment dat het bekende melodietje van de telefoon klonk, was haar hart bijna stil blijven staan. Haar handen trilden zo dat ze moeite had om het groene knopje in te drukken. Bijna misselijk voelde Tirza zich toen de stem van de mentor in haar oor klonk. Die stem vertelde het haar al: ze was geslaagd! Als de rector zelf had gebeld, was de boodschap anders geweest, maar meneer Teulings bracht alleen maar blijde berichten.

'De wereld ligt aan onze voeten!' had Jamina even later gejubeld toen ze bijna huppelend was binnengekomen, waar Tirza nog bezig was het nieuws telefonisch aan haar moeder mee te delen.

Vanaf dat moment was de dag in een roes verlopen. 'Kom mee naar mijn huis.' Jamina was door het dolle heen. 'Je gaat hier toch zeker nu niet in je eentje zitten. Dit moeten we samen vieren.'

In haar blijdschap was ze meegegaan, nadat ze eerst haar vader nog had gebeld en Kelly via een sms-bericht op de hoogte had gesteld. In huize Meyerink heerste een opgewekte drukte. Oom Olaf had vrij genomen van zijn werk, tante Annabel haalde de taart tevoorschijn die ze al stiekem had gekocht. Vandaag had ze gezondigd door er een klein stukje van te nemen. Vandaag was alles anders. Ze had een diploma, ze kon nu echt naar de kunstacademie. Ze had het vandaag verdiend. Oom Olaf hing de vlag met trendy rugtas van Jamina buiten.

De oma van Jamina kwam en de hele familie maakte kennis met Finn die onuitgenodigd binnenstapte. Nooit eerder had Tirza Jamina zo rood gezien, en nu begreep ze plotseling waarom ze de laatste week uit school zo treuzelde en nooit meer aandrong om samen te fietsen.

Ze was er een beetje stilletjes van geworden, niet omdat ze jaloers was, maar omdat ze zich ineens heel erg alleen voelde.

Het verraste haar niet dat haar moeder ineens binnenkwam. Het verraste haar wel dat haar moeder verwijtend uitviel omdat ze bij tante Annabel zat in plaats van thuis.

'Ik ben na jouw telefoontje direct naar huis gegaan,' had ze gezegd, nog voor ze haar felicitaties had uitgesproken. 'Waarom ben je hier naartoe gegaan? Zulke dagen vier je thuis.'

'Dit zijn geen dagen om alleen thuis te zijn,' zei tante Annabel daar direct overheen.

'Ik kon eerst geen vrij krijgen,' reageerde haar moeder toen verontschuldigend. 'Maar na je telefoontje vond Jeanette dat ik toch maar naar huis moest gaan en dat heb ik me geen twee keer laten zeggen.' Tante Annabel glimlachte minzaam. 'Natuurlijk, natuurlijk,' was het enige dat ze zei en juist daardoor kreeg Tirza ineens het idee dat ze tegenover elkaar stonden. Het bevreemdde haar en even later hield ze zich voor dat het maar verbeelding was. Tirza werd toch nog warm en hartelijk door haar moeder gefeliciteerd. Iedereen deed vrolijk, maar kort daarna was ze samen met haar moeder naar huis gegaan. Daar ontdekte ze een prachtige aardbeientaart op het aanrecht.

Natuurlijk wilde Tirza haar moeder niet teleurstellen, maar ze kon echt niet nog een stuk taart nemen. Aan de blik in haar ogen had ze gezien dat haar moeder wel teleurgesteld was. Die teleurstelling leek haar de hele dag te omhullen, ook al deed ze heel erg haar best om dat niet te laten blijken. Misschien komt het daardoor dat Tirza de hele dag dat gevoel van eenzaamheid houdt. De komst van dierbare familieleden kon daar niets aan veranderen.

Het weekend erna is de Maretakstraat versierd met slingers waaraan felgekleurde plastic vlaggetjes in de wind klapperen. Op de ruime parkeerplaats in het midden van de straat staat een reusachtige barbecue naast een mobiele bar met tap. De avondzon koestert het meubilair dat door een aantal bewoners 's middags was neergezet, een bonte verzameling van tuintafels en -stoelen. Langzaam maar zeker komen de bezoekers het plein op. Het Salon Ensemble, dat deze avond luchtig maar beschaafd muzikaal opluistert, zet het opgewekte 'Wien bleibt Wien' van Johann Schrammel in.

Kort nadat alle huizen uit de Maretakstraat zo'n anderhalf jaar geleden werden bewoond, had een aantal bewoners een buurtcomité opgericht met de welluidende naam 'De Maretak'. Het doel was de saamhorigheid onder de inwoners van de straat te bevorderen door het organiseren van een aantal evenementen. Tevreden constateerde het bestuur van het comité, dat alle bewoners zich aanmeldden. Samen vierde een groot deel van hen Sinterklaas, en op de derde januari had bijna iedereen elkaar het beste gewenst tijdens de nieuwjaarsreceptie. Deze avond staat een evenement op het programma dat moet uitgroeien tot jaarlijks hoogtepunt: de buurtbarbecue. Tot vreugde van de organisatoren hebben alle bewoners zich aangemeld. Het weer werkt mee, er is genoeg drank en vlees ingeslagen, alle ingrediënten voor een geslaagde avond zijn aanwezig. Nadat de eerste glazen bier zijn getapt en wijnflessen ontkurkt, zit de stemming er al gauw in. De kinderen vermaken zich op het luchtkussen, en een paar mannen ontfermen zich over de barbecue om het vlees in de gaten te houden. De eerste karbonades liggen al op de borden als Olaf, Annabel, Wijnand en Zita het plein oplopen. Wat onwennig staan ze tussen de anderen tot Olaf de bar ontdekt en een aantal bekende gezichten. Alle vier hadden ze iets moeten overwinnen voor ze de uitnodiging aannamen. Uiteindelijk vond Annabel dat ze niet altijd konden weigeren. Het sinterklaasfeest en de nieuwjaarsreceptie hadden ze genegeerd, maar een barbecue waar de hele buurt voor uitliep, liet zich niet negeren.

Annabel had aangevoerd dat het goed zou zijn om wat buurtbewoners beter te leren kennen. Natuurlijk had Zita daarmee ingestemd, maar nu ze in de richting van de bar loopt en de ontspannen buren ziet, twijfelt ze. Olaf loopt vooraan en groet mensen alsof hij ze al jaren kent. Annabel knoopt een praatje aan met een vrouw die een eind verderop woont. Zij grijpt de hand van Wijnand en voelt haar onzekerheid groeien.

'Zal ik je een glas wijn inschenken?' Olaf staat bij de bar en keurt een fles rode wijn. 'Wijnand, als ik voor de drank zorg, kun jij misschien alvast wat vlees voor ons op de barbecue leggen? Ik heb onderhand wel trek. Wat denk je, zou Annabel ook een glas rode wijn willen hebben?' Hij knipoogt naar Zita. 'Ach, zou jij een glas naar Annabel willen brengen? Haar kennende, is ze nog wel even in gesprek.'

Een eindje verderop ziet ze Wijnand naar de barbecue lopen en even later wat onhandig bij de schalen vlees staan. Een jonge vrouw zegt iets tegen hem. Hij glimlacht en zegt iets terug. Het ergert haar dat ze niet hoort wat hij zegt.

'Ik zorg voor een biertje voor Wijnand en mij,' kondigt Olaf aan. 'Daarna zal ik Wijnand bijstaan, want barbecuen is werk voor mannen.' Hij zegt het op een toon die geen tegenspraak duldt en drukt haar twee glazen wijn in de handen. Langzaam loopt ze naar het groepje waar Annabel tussen staat en met brede handgebaren een verhaal lijkt te vertellen. Haar eigen onzekerheid irriteert haar ineens mateloos, maar het lukt niet om die van zich af te schudden.

Achter de boerderij van de ouders van Femmy Aalbersma staat de grote landbouwschuur die voor vanavond is omgetoverd tot feestlocatie. Tirza en Jamina hebben de hele middag geholpen, samen met nog een aantal klasgenoten. De muziek knalt inmiddels uit de luidsprekers en vult de ruimte, waardoor er beter gedanst dan gepraat kan worden. Klasgenoten druppelen binnen, allemaal blij en opgelucht, behalve Tim Jonker en Jordy Willems, die de rector aan de telefoon hebben gehad. Ze zijn toch gekomen en proberen met grote woorden hun teleurstelling te overschreeuwen.

Jordy heeft Tirza de dansvloer opgetrokken nadat de broer van Femmy, die vanavond als deejay fungeert, een vrolijk rocknummer heeft opgezet. Een eindje verderop staat Jamina met Rolf Meijer te swingen. Haar lange, donkere haren zwieren rond haar gezicht. Hij pakt haar hand en draait haar rond, ze volgt hem met een lach. Als Tirza weer voor zich kijkt, is Jordy verdwenen. Hij staat even verderop tegenover Natasja en grijnst naar haar. 'Kom bij ons!' Jamina neemt haar bij de hand en nu dansen ze met z'n drieën, maar als het ene nummer overgaat in het volgende, glipt Tirza ertussenuit om even later met een glas water in haar hand stilletjes de mensen op de dansvloer te observeren.

'Kom nou ook dansen!' Jamina steekt nogmaals haar hand uit, maar Jordy heeft zich nu als haar danspartner opgeworpen en grijpt die uitgestoken hand. Tirza ziet de sprankelende lach van Jamina als ze door hem in een andere richting gedraaid wordt. 'Jamina is een zondagskind,' had haar moeder altijd beweerd.

Haar moeder heeft gelijk.

Floris heeft op deze zelfde zomerse avond zijn favoriete plek aan het water opgezocht, waar hij vanavond het rijk alleen lijkt te hebben. Geluiden van het buurtfeest sijpelen mondjesmaat door en mengen zich met de geluiden rond het water. De viool zingt een lied dat hem onbekend is, maar het past uitstekend bij de verstilde omgeving. De melancholieke klanken ondersteunen het melodieuze klotsen van de golven waarop een zwanenfamilie voorbij drijft in de avondzon. Hij stut zijn hoofd in de handen en volgt met zijn blik de trotse ouders met hun lelijke jongen. 'Zag het lelijke eendje uit het sprookje van Anderson eigenlijk zijn eigen beeld weerspiegeld in het water?' De woorden van Tirza schieten hem weer te binnen. Wat had ze met die vraag bedoeld? Bekeek zij zichzelf door de ogen van een ander of zag ze zichzelf als een lelijk eendje?

Hij weet het antwoord niet.

Als hij opzij kijkt, ziet hij haar komen, alsof ze zelf het antwoord komt brengen. Haar silhouet tekent zich af tegen het rood van de avondzon. 'Ik had je hier niet verwacht,' verwoordt hij zijn verbazing als ze binnen gehoorafstand is.

'Ik had jou hier ook niet verwacht.' Tirza blijft staan. Ze lijkt even te twijfelen maar als hij met zijn hand uitnodigend op het bankje klopt, gaat ze naast hem zitten. Hij hoort haar zuchten en ziet hoe ze haar magere benen met de suède kuitlaarsjes over elkaar slaat. Als kind meende hij dat ook zij zijn zusje was, net zoals Jamina. Hij herinnert zich hoe hij geregeld vol trots meldde dat hij drie zusjes en een broer had. Als hij minder trots was, wilde hij er nog een broertje bij hebben. Het mocht ook een zusje zijn, als ze dan maar van zijn leeftijd was en bij hem wilde horen. Het was niet eerlijk dat Jamina en Tirza altijd samen waren en ook Kenneth en Kelly een twee-eenheid vormden die hem buitensloot. Zijn boosheid leverde hem altijd medelijden van zijn moeder op. Prompt sommeerde ze Jamina en Tirza, of Kenneth en Kelly, om met hem te spelen. Ze lieten hem toe zonder veel enthousiasme, en zonder hem werkelijk deel van hun spel te laten worden. Hij herinnert zich de aversie op hun gezichten, die er altijd was als hij zich in hun buurt ophield. Als hij anderen op de mouw speldde dat hij drie zusjes had, werd hij door zijn moeder gecorrigeerd. Ze vertelde hem steeds weer dat hij maar één zusje en één grote broer had. Meer dan eens kreeg hij een uiteenzetting over haar vriendschap met tante Zita. 'We lijken wel familie, maar we zijn het niet. Eigenlijk zijn we een soort van legpuzzel die precies in elkaar past.'

Met het klimmen van de jaren had hij voor zichzelf uitgemaakt dat hij een overbodig puzzelstukje was, dat nergens bij aansloot. Dat inzicht had hem niet langer boos gemaakt of verdrietig, het werd een gegeven dat hij in de loop der jaren had leren aanvaarden. Af en toe laaide de hoop in hem op dat er toch een stukje op deze wereld bestond dat precies in hem paste. Claudia had die hoop weer doen opvlammen, maar Claudia had daar andere ideeën over gehad. Claudia keek tegenwoordig naar hem zoals alle anderen naar hem keken.

Misschien dat hij daarom nu niet schrikt van de afweer die uit Tirza's houding straalt, zelfs nu ze naast hem zit.

'Ik dacht dat jij ook naar dat eindexamenfeest ging,' merkt hij op.

'Daar ben ik ook geweest.' Het klinkt lusteloos. In haar felgele, strak aansluitende shirt lijkt ze kwetsbaarder dan ooit. Zonder te vragen pakt hij zijn zomerjack en legt het rond haar schouders. Ze protesteert niet, maar hij ziet dat ze de jas dicht om zich heenslaat.

'Hoor je de muziek?' vraagt hij.

'Muziek die bij mijn ouders hoort.' Ze glimlacht. 'Beschaafde muziek voor beschaafde mensen.'

'En dus ook voor mijn ouders.'

Ze vallen stil terwijl de viool verder zingt.

'Liebesleid,' zegt hij als de laatste noot weerklonken heeft.

'Daarom word ik er zo droevig van.' Hij ziet haar opnieuw huiveren.

'Misschien spelen ze straks 'Liebesfreud' van dezelfde componist.'

'Ik vraag me af of dat bestaat.' Ze zit in elkaar gedoken maar toch is de afweer uit haar houding verdwenen. 'Ik vermoed dat ze het erg naar hun zin hebben bij de barbecue.'

'Beter dan jij op dat feest?' waagt hij het op te merken.

Tirza haalt haar schouders op. 'Soms hoop je op zo'n avond dat je klasgenoten ineens zullen inzien dat je net zo leuk bent als iemand anders.'

Hij kijkt haar opmerkzaam aan. Het is alsof ze zijn gevoelens verwoordt. In zijn herinnering had Tirza prachtige koperrode krullen en glanzende ogen. Is haar eetstoornis de oorzaak van haar doffe ogen? Haar haren zien er futloos uit, zelfs nu ze die heeft opgestoken tot een rommelig kapsel.

Hij zou haar best willen zeggen dat hij zich zorgen maakt en dat ze wel moet zorgen dat ze genoeg voedingsstoffen binnenkrijgt. Hij zou haar willen zeggen dat hij haar mooier vond toen ze nog gewoon Tirza was, ook al keek ze toen langs hem heen.

Al die woorden houdt hij voor zich, bang als hij is dat ze kopschuw wordt en er snel vandoor gaat. Van zijn moeder heeft hij wel begrepen dat haar dat de afgelopen tijd genoeg is voorgehouden. Hij hoeft dat niet nog eens te doen, hij wil haar vriend zijn, eigenlijk is ze altijd zijn kleine zusje gebleven.

'Net zo leuk als iemand anders,' hoort hij haar nu herhalen. 'Moet een mens dat eigenlijk wel willen?'

Hij weet niet goed wat te antwoorden. 'Nou, ieder mens wil er graag bij horen,' begint hij wat aarzelend.

'Waarom? Zou je daar werkelijk gelukkiger van worden?'

Haar stem is zacht. Hij moet zich inspannen om haar te verstaan.

'Misschien dat het leven dan een beetje makkelijker wordt.'

'Het leven, het leven...' Ze slaat haar handen voor haar gezicht. 'Ik ben bang voor het leven. Ik wil en kan het niet.'

'Hoe bedoel je dat?'

'Ik dacht dat het leven beter zou worden na het behalen van mijn diploma. Gek, dat je dat op zo'n hoogtepunt altijd weer meent. Later ontdek je dan dat je nog steeds de spelregels niet begrijpt.'

'Je gaat straks toch naar de kunstacademie? Je kunt je talent gebruiken.'

'Het gaat om veel meer dan talent. In het echte leven heb je er niets aan als je mooie dingen kunt schilderen. Niemand is daarvan onder de indruk.'

Waarom begint ze toch altijd over die moeilijke onderwerpen als ze bij hem is?

'We doen allemaal alsof.' Haar handen liggen nu in haar schoot, haar blik is op de verte gericht. 'Morgenochtend ga ik keurig met m'n ouders naar de kerk. Jij durft het aan om niet te gaan, maar ik probeer nog steeds te voldoen aan het beeld van m'n moeder. Alsof je altijd een klein kind blijft. Ik zit in die kerk en ik kan je vertellen dat het mogelijk is om je juist daar doodeenzaam te voelen.'

Hij zoekt naar woorden.

'Je hoeft niets te zeggen. Ik begrijp ook niet waarom ik daar met jou over begin. Let maar niet op mij.' Ze staat op, langzaam, alsof ze ineens heel vermoeid is. Om haar mond speelt een raadselachtige, maar ook hautaine glimlach.

'Blijf nog even,' probeert hij.

'Dat heeft geen zin.'

Ze laat zijn jas van haar schouders glijden, neemt met een handgebaar afscheid en hij ziet hoe ze haar schouders recht. Alsof ze daarmee haar woorden van zich af wil schudden. Ze blijven toch hangen. Floris blijft doodstil zitten. Hij kijkt haar na, maar weet niet wat te doen. Op de achtergrond zwijgt de viool.

Zita is aan een tafeltje met vier lege stoelen gaan zitten nadat ze het glas rode wijn heeft afgeleverd bij Annabel. Haar eigen glas draait ze in haar handen rond. Ze tikt met haar korte nagel tegen de kunststof rand. Tegenwoordig is alles van plastic te krijgen. Ze probeert ontspannen te ogen, alsof het haar niet deert om hier alleen te zitten, terwijl Wijnand nog steeds bij de barbecue staat en het vlees eindeloos werk lijkt te hebben om te bruinen. De groep bij wie Annabel zich heeft aangesloten, breidt zich steeds verder uit en Annabel lijkt de spin in het web te zijn. Af en toe hoort Zita haar stem, gevolgd door gelach. Het lukt Annabel altijd om de lachers op haar hand te krijgen. Olaf leunt tegen de bar en tapt nog een biertje.
Zita drukt haar onderrug tegen de gestreepte katoenen rugleuning van de campingstoel en drinkt een slok van haar wijn. Ze zit hier wel, maar niemand lijkt het in de gaten te hebben. Zo is het altijd geweest.

Na vier biertjes komt Olaf ineens bij haar aan tafel zitten. Haar glas is allang leeg.
'Waar blijft Wijnand met de karbonades? Hé Wijnand, komt er nog wat van? Ik wil je wel komen helpen, maar ik moet je vrouw nu even gezelschap houden!' Zijn stem klinkt luid over het pleintje. Wijnand kijkt om, de jonge vrouw die bij hem staat ook. Alle mensen kijken om, maar het lijkt Olaf niet te deren.
Wijnand gebaart dat hij eraan komt.
'Je staat droog,' constateert Olaf dan. 'Zal ik nog een glas voor je halen?'
'Ik wil even wachten,' zegt Zita. 'Blijf alsjeblieft zitten.'
Wijnand loopt hun richting uit met twee borden, de jonge vrouw

volgt met nog eens twee borden. 'Twee heerlijk gegrilde karbonades. Jullie moeten wel zelf voor de salade zorgen,' zegt ze en als ze lacht heeft ze kuiltjes in haar wangen. 'Wij hebben nog niet kennisgemaakt.' Ze steekt haar hand naar Zita uit. Koele, lange vingers omsluiten de hare. 'Ik ben Jolanda Reitsma.' Olaf houdt even later haar hand net iets te lang vast. Wijnand schiet in de lach als Jolanda wat ongemakkelijk begint te kijken. 'Olaf is een onverbeterlijke charmeur.'

'Dat was me al bekend,' reageert ze terwijl ze zich bevallig op haar hoge hakken omdraait en weg wandelt.

'Niet iedereen is daar kennelijk van gediend,' merkt Zita op.

'Niet zo zuur, Zita.' Olaf grijnst breed. 'Ik zal toch nog een glaasje wijn voor je halen. Ik denk dat je ervan opknapt.'

Ze zou nu ook op kunnen staan en salade kunnen halen. Ze zou net zoals Annabel kunnen doen, die op weg is naar hun tafeltje, maar onderweg kennismakingsgesprekken aanknoopt. Ze voelt zich houterig en onzeker. 'Kom nu eindelijk eens bij me zitten,' sommeert ze Wijnand. 'Het is nogal gezellig als iedereen steeds wegloopt.'

Met zichtbare tegenzin laat hij zich op een stoel zakken en hij lijkt niet van plan een conversatie tussen hen gaande te houden. Het is een opluchting als Annabel eindelijk hun tafeltje heeft bereikt waar de karbonades inmiddels bijna koud zijn. Annabel wordt gevolgd door andere buren die ze wel van gezicht kent. Naast haar zet een rondborstige buurvrouw, die zich als Wiesje Bovendeur heeft voorgesteld, haar klapstoeltje neer. 'Wat leuk om elkaar op zo'n informele manier te ontmoeten,' opent ze het gesprek. 'We komen elkaar wel geregeld tegen, maar we weten niets van elkaar. Dat komt natuurlijk ook door het leeftijdsverschil. Mijn kinderen zitten nog op de basisschool.'

'Die van mij zijn al wat ouder,' geeft Zita toe. Olaf zet een glas wijn voor haar neer en legt even zijn hand op haar schouder. 'Vermaak je je weer, Zitaatje?'

'Is dat je man?' wil Wiesje weten.

'Een vriend. We kennen elkaar al heel lang. Wijnand is mijn man.' Ze

wijst naar Wijnand die in druk gesprek gewikkeld is met een buur-
man van drie huizen verderop.
'O, dat is ook zo'n aardige man. Jullie hebben twee dochters?'
'Kelly en Tirza. Kelly studeert hbo-verpleegkunde en Tirza heeft net
haar vwo-diploma gehaald.'
'Tirza? Is dat niet dat meisje dat ik altijd rennend voorbij zie komen?'
'Met dat rossige haar, ja.'
'Ik vroeg me eigenlijk af... Harry, mijn man, zei het laatst ook... heeft
ze soms anorexia?'
'Nou, anorexia... Ze sport veel. Ze loopt dagelijks hard dus er zit geen
grammetje vet teveel aan.' Zita probeert het nonchalant te brengen.
'We houden het natuurlijk goed in de gaten.'
'Ja, dat moet je wel doen. Mijn vriendin heeft een vriendin en die
heeft een vriend en daar de oudere zus van, die heeft een dochter die
ook anorexia had. Ze hebben er alles aan gedaan om haar te stoppen,
maar uiteindelijk trok haar lichaam het gewoon niet meer. Dat meisje is toen overleden.'
'Vreselijk,' zegt ze. 'Nou, bij Tirza is daar geen sprake van. Hoe oud
zijn jouw kinderen eigenlijk? Klopt het dat je er drie hebt?'
Wiesje is afgeleid. Enthousiast verhaalt ze over de meisjestweeling die
ze heeft en over hun oudere broertje. Langzaam wijkt het gevaar. Ze
probeert haar aandacht bij het gesprek te houden. De stemming aan
tafel wordt steeds meer uitgelaten. Aan het einde van de avond staat
Jamina ineens naast Annabel, haar hand vast in die van de knappe,
blonde jongeman, die Zita op de dag van de examenuitslag ook al
gesignaleerd heeft in huize Meyerink. 'Hebben jullie nog iets voor
ons overgelaten?' wil Jamina weten en werpt een blik op de borden
die alleen nog restanten bevatten.
'Kom erbij, wat enig dat jullie ook nog even komen.' Annabel trekt
een stoel bij. Haar gezicht straalt van trots. 'Ik had jullie niet verwacht.
Was het feest niet leuk?'
'Het was een tof feest, maar Finn was er niet,' zegt Jamina terwijl ze
een stralende blik op de jongeman naast haar werpt. 'Om halfelf heb

ik hem gebeld en toen hebben we besloten om hier samen nog een kijkje te nemen.'

Er steekt iets in Zita. Ze kan haar blik niet losmaken van Annabels gezicht, het gezicht van een moeder die trots is op haar dochter. Annabel hoeft niet snel naar een ander onderwerp te zoeken als iemand toevallig over Jamina begint. Ze doet niets liever dan over haar kinderen praten. Zij praat ook graag over Kelly, maar niemand schijnt werkelijk geïnteresseerd te zijn. Steeds weer wordt er naar Tirza gevraagd. 'Is ze niet wat erg mager? Heeft je dochter iets onder de leden?'

Haar hand trilt als ze haar glas oppakt terwijl het langzaam tot haar doordringt dat ze niet over Tirza wil praten, dat ze liever niet met Tirza gezien wordt, dat ze zich schaamt voor dat magere, vreselijke kind.

'Tante Zita, hebt u al kennisgemaakt met Finn?'

'We hebben elkaar gezien op de dag van de uitslag,' zegt ze weinig toeschietelijk. 'Waar is Tirza? Is ze nog op het feest?'

Jamina lijkt haar niet te horen. Ze lacht als ze zich naar de jongen omdraait. 'Dit is dus de moeder van Tirza en ik noem haar tante Zita. Vroeger dacht ik wel eens dat ik twee moeders had, mama en tante Zita. Onze families deden zoveel samen. Mama en tante Zita kennen elkaar al heel lang en ze zijn altijd vriendinnen gebleven. Het leuke is dat ik weer vriendin ben met Tirza.'

'Ik zie je tegenwoordig anders nooit meer bij ons thuis,' merkt Zita wat wrevelig op.

'Dat is de schuld van Finn. Hij neemt al mijn tijd in beslag.' Het klinkt niet eens verontschuldigend. 'Binnenkort zal ik weer eens met Tirza afspreken, dat doe ik echt. Ze is overigens vanavond al op tijd naar huis gegaan.' Voor Zita nog iets kan vragen, draait Jamina zich om en trekt Finn mee. 'Nu moet je natuurlijk kennismaken met oom Wijnand. Hij is een echte lieverd...'

Opnieuw is er die blik vol trots die Annabel op haar dochter werpt.

'Wat een leuk stel,' hoort ze Wiesje vertederd zeggen en ze wil het gewoon beamen. Ze wil blij zijn voor Jamina, maar ze krijgt de woorden niet uit haar mond.

'Ik ga nog maar eens een glaasje wijn halen,' zegt ze en voegt de daad bij het woord.

Door het geopende raam zingt de viool zich niet langer naar binnen. Tirza draait zich voor de zoveelste maal om en staart naar de lamellen voor haar raam die zachtjes bewegen in de wind. Ze heeft ze zo gezet dat ze de hemel kan zien die verlicht wordt door de bijna volle maan.

Op het achterpad klinken stemmen die proberen te fluisteren, maar ze hoort duidelijk de proestlach van tante Annabel en even later haar vader die iets te luid 'Welterusten allemaal!' zegt. Voetstappen verwijderen zich, de schutting wordt geopend, er klinken voetstappen op het tuinpad. Het slot in de achterdeur geeft kennelijk problemen. Haar moeder giechelt, haar vader bromt wat, maar dan geeft de deur toch mee.

Tirza stelt zich voor hoe ze nu in de keuken zullen staan. Daar ligt schijnbaar achteloos een halflege zak chips op het aanrecht, naast een glas met een bodempje vruchtensap. Zorgvuldig achtergelaten sporen.

Haar ouders zullen blij zijn. Kijk eens aan, met onze dochter is niets aan de hand. Tirza heeft zelfs chips gegeten. Waarschijnlijk zal het niet eens in ze opkomen dat die chips ergens onderin de vuilcontainer kunnen zijn beland, en het vruchtensap gewoon door de gootsteen is gespoeld. Haar ouders zullen menen dat ze zich niet langer zorgen hoeven te maken en zij zal ze niet tegenspreken. Vanavond heeft ze de tip op een site op internet gelezen en ze heeft zich erover verbaasd dat ze er zelf niet opgekomen was. Vanaf nu zal ze regelmatig etensresten of verpakkingen laten slingeren. Haar ouders zullen menen dat ze hebben gewonnen en zij zal ze in die waan laten. Eindelijk zullen ze zwijgen. Zo zal ze de baas over haar lichaam kunnen blijven. Niemand kan haar daarvan weerhouden.

Beneden slaat Wijnand ondertussen zijn arm om Zita heen. 'Weet je wel dat jij de mooiste vrouw uit deze straat bent?'

'Dat zal wel. Het is jammer dat je zulke dingen alleen zegt als je iets teveel gedronken hebt.'

'Juist dan zeg ik de waarheid. Ik ben trots op je.' Ze wil zich losmaken uit zijn omarming, maar zijn greep verstevigt zich. 'Ik mis je,' fluistert hij in haar oor. 'Ik mis je tederheid die me het gevoel gaf dat je echt van me hield. Ik mis je lach waardoor ik het idee kreeg dat we samen het leven aan konden. Ik mis...'

'Wijnand, wil je alsjeblieft ophouden? We zijn geen pubers meer, we zijn al jarenlang getrouwd. Dan is het grootste vuur wel gedoofd.'

'Je weet dat het daar niet om gaat.'

Zita weet heel precies waar het om gaat. Wijnand heeft gelijk, maar ze is te moe om er nu over te praten. Ze wil dat hij zijn mond houdt en er is maar een manier om hem zover te krijgen. 'Laten we naar bed gaan,' zegt ze.

'Je wilt er niet over praten,' concludeert hij.

'Ik wil de avond goed afsluiten.' Ze neemt zijn gezicht tussen haar handen en kust hem. Even voelt ze bij hem een lichte weerstand, dan beantwoordt hij haar kus. Zijn handen strelen haar hals, en als ze op zoek gaan naar de knoopjes van het shirt dat ze draagt, is ze ervan verzekerd dat er vanavond geen moeilijke gesprekken meer gevoerd zullen worden.

Ik zou me blij moeten voelen, maar ik weet niet eens meer hoe dat is. Natuurlijk merkt niemand dat aan me. Ik doe net of ik wel blij ben. Vanavond heeft die stomme Jordy Willems me gewoon op de dansvloer laten staan. Zelf ging hij met anderen dansen. Wat verbeeldt die vent zich? Hij is gewoon hartstikke gezakt. Ik kan tegenwoordig goed met Floris praten. Hij is net zo'n loser als ik, alleen niet zo vies vet. O ja, en met Jamina en die Finn schijnt het echt aan te zijn.

8

MET REUZENSCHREDEN SNELT DE TIJD VOORUIT. DE ZOMER IS AL EEN paar weken oud als Zita de koffers weer van zolder haalt. De vakantie in Italië staat voor de deur en er moet nog het nodige aan voorbereidingen getroffen worden. Op tafel liggen lijsten met zaken die niet vergeten moeten worden, zoals paspoorten, verzekeringspapieren en toilettassen. Andere jaren vond ze het heerlijk om met die voorbereidingen bezig te zijn, maar dit jaar is alles anders. Ze kan zelf niet helemaal onder woorden brengen waar het verschil zit. In ieder geval vraagt ze zich voor het eerst af of het wel zo'n goed idee is om nog eens met Olaf en Annabel op vakantie te gaan. Daar heeft ze nooit eerder over getwijfeld. Het was vanzelfsprekend. Wel veranderde er langzamerhand iets aan de samenstelling van het gezelschap. Vorig jaar wilde Kenneth al niet meer mee op vakantie. Kelly had dit jaar aangegeven thuis te willen blijven en van Annabel begreep ze dat Floris dezelfde plannen had. Daarna hadden Jamina en Tirza hun onvrede ook geuit. Ze waren allebei achttien en dat hield in dat ze zichzelf wel een paar weken thuis konden redden. Ze zijn er allebei van teruggekomen. Tirza is gezwicht en gaat nu toch mee. Floris gaf plotseling aan, hen toch ook nog wel een jaartje te willen vergezellen. En Jamina is, samen met vriend Finn, ook van de partij. Ze zullen opnieuw een vrolijke, gezellige familie lijken. 'De Maretakfamilie' zoals Kelly hen, kort na de verhuizing had geïntroduceerd. Het is vreemd dat ze daar toen een heel ander gevoel bij had dan nu.

Misschien moet ze het allemaal dit jaar maar een beetje over zich heen laten komen. Ze zou kunnen aangeven dat ze zo nu en dan iets wil ondernemen zonder de anderen. Een wandeling in haar eentje, gewoon een poosje alleen ergens op een terrasje zitten, dat soort dingen. Het ziet ernaar uit dat ze zich over Tirza niet zoveel zorgen meer hoeft te maken. Ze moppert niet meer over de vakantie, maar somt de voordelen van Italië op: een zwembad, warmte en de moge-lijkheid om lange wandelingen te maken. Ze durft nauwelijks te geloven dat Tirza het meent. Tegenwoordig lijkt het er zelfs op dat ze wat meer eet. Misschien is het de goede invloed van Floris. Tot haar verbazing kunnen ze het ineens heel goed met elkaar vinden. Wellicht komt het daardoor dat Tirza geen problemen lijkt te heb-ben met de aanwezigheid van Finn tijdens de vakantie. 'Gezellig,' had ze gereageerd en vervolgens was ze overgegaan op de kleding die ze mee wilde nemen naar Italië en of er in de auto ruimte over zou blijven voor haar schildersbenodigdheden. Ze had gevraagd of het mogelijk was dat Floris onderweg bij hen in de auto zou zitten. Natuurlijk vonden ze dat direct een prachtig plan. Wijnand en zij willen er immers alles aan doen om het Tirza naar de zin te maken? Alles, om haar weer een gewoon meisje te laten worden, zodat ze weer een normaal gezin kunnen vormen. Een gezin met twee gezon-de meiden om trots op te zijn. Het lijkt er werkelijk op dat Tirza ook haar best doet. Ze wil niet achterdochtig zijn, maar toch kan ze het nog niet werkelijk geloven. Tirza ziet er namelijk niet uit of ze ook maar iets aankomt. Er kloppen dingen niet, maar ze kan haar vinger er niet opleggen. Het is een onbestemd gevoel, ongeveer net zoals haar gevoel over de vakantie. Niets is meer wat het lijkt, zo ervaart ze het op het ogenblik. Alles lijkt zich tegen haar samen te spannen. Zelfs op haar werk functioneert ze niet naar behoren en dat terwijl haar werk altijd als een soort baken fungeerde. Daar was duidelijk-heid. Zita wist zeker dat ze haar werk goed deed en ze werd er gewaardeerd. Sinds de aanstelling van een nieuwe secretaresse was de sfeer verslechterd en ook daarvan kon ze niet met zekerheid zeggen waar het aan lag. Vaak had ze het idee dat er over haar geroddeld werd. Ze had aan het begin van de week een gesprek met de nieuwe secretaresse gevoerd, maar die had aangegeven het prima naar haar zin te hebben. Hoe is het dan mogelijk dat ze daar toch zo'n onge-makkelijk gevoel over heeft? Binnenkort moet ze mede beoordelen of de proeftijd het begin of het einde voor de nieuwe collega moet zijn. Zita kan toch niet aangeven dat er geen vervolg moet komen omdat ze er geen goed gevoel over heeft? Op haar werk is niets aan te merken, de collega's lijken goed met haar samen te kunnen werken. Alleen zij heeft dat onbestemde gevoel. Misschien is het goed dat de vakantie eraan zit te komen. Ze moet eens leren loslaten, dan zou ze er vast van kunnen genieten.

Het avondeten met haar gezin is allang geen ontspannen moment meer voor Zita. Onopvallend maar nauwlettend volgt ze de verrichtingen van Tirza.

'Tirza, je eet niet alleen sla,' maant ze haar dochter als ze ziet dat deze aanstalten maakt om aan de maaltijd te beginnen zonder aardappels op haar bord. Ook de groenteschnitzel, speciaal voor Tirza gekocht, ligt nog in de schaal.

Tirza neemt een klein slokje water uit het glas dat naast haar bord staat. Sinds kort heeft ze de kan met water op tafel geïntroduceerd. 'Het staat leuk op tafel en ik vind het prettig om er water bij te drinken,' had ze aangevoerd toen Wijnand had geïnformeerd waarvoor dat nu weer nodig was.

'Ik was van plan eerst wat sla te eten en dan aan aardappels en de rest te beginnen,' meldt ze zonder blikken of blozen. 'Maar als jij het anders wilt, dan doe ik dat. Het is trouwens hartstikke lekkere sla, mam.' Ze prikt een heel klein stukje sla aan haar vork. Nadat ze die in haar mond heeft gestoken, legt ze haar bestek neer en kauwt alsof ze een hap cement eet.

'Je vergeet die aardappels en je schnitzel niet, hè?' maant Zita haar nog eens. Soms voelt ze zich een politieagent. Terwijl Wijnand en Kelly schijnbaar ontspannen aan tafel zitten, probeert zij het eetgedrag van haar jongste dochter in de gaten te houden.

'Ik heb zin in de vakantie,' hoort ze Tirza nu zeggen. 'Twee weken lang zon, dat is heel wat anders dan de treurnis waar we hier mee moeten leven.'

'Ik ben er ook wel aan toe,' is Wijnand het met haar eens. 'De laatste dagen is het weer hier zo kil en somber. Ik merk dat ik echt aan de zon toe ben. Toch blijf ik het jammer vinden dat jij niet meegaat, Kelly.'

'Ik ben blij dat ik die weken lekker aan het werk kan. Misschien ga ik in de herfstvakantie nog wel een paar dagen weg. Als ik me erg eenzaam voel, kan ik altijd nog naar Kenneth. Volgens mij is tante Annabel ongelooflijk opgelucht dat hij morgen weer naar huis komt.'

'Dat zal iedere ouder zijn met een kind in zo'n gebied.' Bedachtzaam snijdt Wijnand een stuk van het biefstukje dat Zita met zorg heeft klaargemaakt. Niet te rood, maar ook niet te doorbakken. 'Er kan elke dag iets gebeuren.'

'Oom Olaf leek daar anders niet zo heel veel last van te hebben,' meent Tirza. Als ze praat, ondersteunt ze haar woorden met brede gebaren. Ze neemt nog een slokje water. 'Ik heb het idee dat tante Annabel er veel meer mee zat.'

'Oom Olaf houdt zich stoer, maar ik denk dat hij ook blij is dat Kenneth weer thuis is,' meent Kelly.

Zita ziet hoe Tirza nu de schnitzel uit de pan prikt terwijl ze verder enthousiast deelneemt aan het gesprek. 'Oom Olaf doet inderdaad altijd heel stoer, maar dat is alleen de buitenkant. Ik ben wel blij dat papa niet zo is. Floris vindt het ook niet altijd fijn dat oom Olaf zo doet.'

Tirza snijdt een klein stukje van de schnitzel en haalt dat door de sambal die op haar bord ligt. Even later ondergaat een deel van een aardappel hetzelfde lot. Ze kauwt traag. Zita kan zelf wel drie happen nemen, tegen die ene van Tirza. Als kind was ze al zo traag met eten. Ze had haar wel eens op de trap gezet omdat haar bord niet leeg leek te komen.

Zita vermant zich. Misschien moet ze minder op Tirza letten en wat meer ontspannen aan tafel zitten. Ze eet nu toch? Dat ze alles door de sambal haalt, is toch niet zo problematisch? Ze ziet met eigen ogen dat ze eet. Tirza snijdt nog een klein stukje van haar schnitzel.

Het verdwijnt werkelijk in haar mond. Hoe is het mogelijk dat haar ogen niet tranen van die sambal?

'Oom Olaf was altijd tegen het militarisme en daarom begrijpt hij er ook geen steek van dat zijn zoon nu uitgerekend voor een carrière in het leger moet kiezen,' redeneert ze met volle mond.

'Nou ja, een carrière? Kenneth gaat weer studeren na de zomervakantie,' weet Kelly. 'Hij heeft het in het leger nu wel gezien.'

Zita's bord is leeg. 'Daar zal tante Annabel dan ook heel blij mee zijn,' zegt ze.

Tirza legt haar bestek ook neer en leunt achterover. 'Ik heb genoeg gehad. Ik kan echt niets meer op.'

Er is nog een halve schnitzel over en de meeste aardappelen zijn nog onaangeroerd.

'Je hebt te weinig gegeten,' windt Zita zich direct op en ze zou nu willen dat Wijnand met haar in zou stemmen.

'Ik heb vlak voor het eten al een paar boterhammen gehad,' zegt Tirza terwijl ze onbeschaamd gaapt. 'Dat was misschien niet zo verstandig, maar ik had trek en de jam die je hebt gehaald is zo lekker dat ik er maar twee heb genomen.'

'Dat heb ik gezien,' schiet Kelly haar zusje te hulp. 'Ik heb nog gemopperd over de rotzooi die ze achterliet.'

'We moeten natuurlijk ook niet op alle slakken zout leggen,' mengt Wijnand zich erin. Hij glimlacht naar Tirza. 'Ik vind dat je het voor vandaag heel goed hebt gedaan, dus van mij mag je ermee ophouden.'

Misschien bedoelen ze het niet zo, maar het voelt alsof ze haar laten vallen.

'Vinden jullie het goed dat ik alvast van tafel ga om nog een eindje te lopen?' Tirza heeft haar bord naar het midden van de tafel geschoven.

'Wil je geen yoghurt meer?' kan Zita toch niet laten om te vragen.

'Ik heb echt genoeg gehad, mam. Er kan niets meer bij. Anders wil ik best nog even blijven zitten, maar ik heb afgesproken met Floris.'

'Jullie kunnen wel heel goed met elkaar overweg,' verbaast Wijnand zich.

'Zo raar is dat toch niet? Floris vertelde laatst dat hij als klein jochie altijd dacht dat hij drie zusjes had. We waren natuurlijk heel veel bij elkaar. In die tijd had ik niet echt oog voor hem omdat ik altijd met Jamina was. Daar is nu verandering in gekomen. Ik wist werkelijk niet dat Floris zo leuk was.'

'Ik kon nooit hoogte van hem krijgen,' zegt Kelly. 'Hij was altijd zo stilletjes.'

'We deden er ook geen moeite voor.' Tirza staat op. 'Ik wil nog even een rondje rond de vijver lopen voor ik naar Floris ga en als ik nog langer blijf treuzelen, kom ik veel te laat.'

Haar wijde, grijze joggingbroek slobbert rond haar smalle figuur. Buiten is de hemel grijs, er waait een frisse wind, de temperatuur is tot onder de twintig graden gedaald. Vijf minuten later zien ze Tirza in haar sportbroek en een hemdje het pad aflopen.

Het is goed om kou te lijden. Haar lichaam moet dan veel calorieën verbranden om warm te blijven. Ze kent de tips bijna van buiten, ze rekent moeiteloos het aantal calorieën uit dat ze op een dag eet. Op internet zit ze bijna dagelijks op een speciale site voor lotgenoten. Het voelt alsof ze vriendinnen zijn, die haar helpen om vol te houden als ze het niet meer ziet zitten. Ze schrijven daar over gevoelens die de hare zouden kunnen zijn en ze heeft al veel tips overgenomen. Van anderen hoort ze hoe ook hun ouders problemen maken en steeds maar blijven volhouden dat er iets aan hen mankeert. Bij een prullenbak vlakbij de vijver vergewist ze zich ervan dat niemand haar ziet. Dan laat ze het plastic zakje erin zakken waarvan de inhoud bestaat uit kleine stukjes van de groenteschnitzel. Tijdens het eten is het haar gelukt om ze in de zak van haar joggingbroek te moffelen. Op haar kamer was het nog een kwestie van overhevelen in een plastic zakje, dat bevestigd is aan het elastiek van haar sport-broek. De boterhammen die ze voor het eten zogenaamd naar binnen heeft gewerkt, liggen in de vuilcontainer, een heel eind naar onderen, zodat het niemand zal opvallen. Met zorg heeft ze jam aan het mes gesmeerd en niet opgeruimd. 'Tirza heeft gegeten,' moest die boodschap uitstralen en dat is goed gelukt.

De wind voelt kil aan. Ze huivert en probeert haar tempo wat op te voeren, maar haar benen willen niet gehoorzamen. Misschien moet ze het vanavond wat rustiger aan doen. De wereld draait om haar heen, het is net of haar hart uit haar borst wil springen. Ze staat stil, probeert diep adem te halen.

'Hé Tirza, waar heb jij last van?' Floris staat plotseling achter haar. 'Gaat het niet goed? Het is toch ook veel te koud voor zo'n hemdje? Hier heb je mijn jas.'

Ze wil zijn jas niet, ze snakt naar adem en duwt zijn handen weg die zorgzaam de jas rond haar schouders willen draperen. 'Wat heb je?' informeert hij geschokt. 'Moet je even zitten?'

Waarom vraagt hij zoveel? Hij kan toch zien dat ze niet kan antwoorden? Ze heeft niet in de gaten hoe hij naar haar kijkt, dan zijn jas weer aantrekt en haar ineens als een klein kind optilt. Ze protesteert niet eens, ze sluit haar ogen en dan is de wereld weg.

'Nee, ik hoef niet naar de dokter. Omdat ik een keertje flauwval is het toch niet nodig om direct in de hoogste alarmfase te raken?' Tirza zit op de rand van haar bed. Ze had gehoopt dat ze gewoon even kon gaan liggen, maar haar ouders waren haar achterna gekomen. Hun stemmen druipen van bezorgdheid. 'Er zijn zoveel mensen die wel eens flauwvallen,' vervolgt Tirza. 'Ik heb niet te weinig gegeten. Ik heb je toch verteld dat ik voor het eten ook nog twee boterhammen naar binnen heb gewerkt? Ik gá niet naar de dokter!' Haar stem klinkt lang zo hard en zelfverzekerd niet als ze zou willen.

'Het is niet normaal dat je flauwvalt. Je vraagt te veel van je lichaam.' De stem van haar moeder klinkt veel luider en overtuigender dan die van haar. 'Ik wil dat je nu op de weegschaal gaat staan.'

'Waarom zou ik op de weegschaal gaan staan?'

'Ik wil precies weten hoeveel je weegt.'

'Daar heb je niets mee te maken.'

'Dat zie je verkeerd, Tirza.' Haar vader legt zijn hand op haar schouder. 'Doe nu maar wat mama zegt. Je gezondheid loopt gevaar. Mama zou het niet van je vragen als het niet om je gezondheid zou gaan. Zelf zie je toch ook wel dat het niet goed met je gaat?'

'Hoe komen jullie erbij dat het niet goed zou gaan?'

'Tirza...' zegt haar vader bezwerend, maar haar moeder loopt weg en komt met de weegschaal terug. Zwijgend zet ze die voor Tirza's voeten.

Ze weet dat er geen ontkomen meer aan is, dat ze zullen zeggen dat ze te weinig weegt en dat ze hen niet aan het verstand zal kunnen brengen dat het niet klopt wat die weegschaal zegt. Zij kent haar lichaam, zij ziet die lelijke dikke bovenbenen, die veel te dikke buik. Gelaten gaat ze op het geharde glas staan, in het kleine venster verschijnen twee cijfers. Haar moeder slaat de hand voor haar mond en begint dan te jammeren. 'Iets meer dan vijfenveertig kilo. Ik had je eerder moeten verplichten om op die weegschaal te staan. Vijfenveertig kilo is toch veel te weinig voor een meisje met jouw lengte.'

'Meisje toch...' is het enige wat haar vader zegt.

'Zijn jullie nu tevreden?' Ze wil zo veel zeggen maar ze weet dat geen van haar woorden zal aankomen. 'Waarom overdrijven jullie toch zo? Er zijn echt wel meisjes die minder wegen.'

'Ik maak morgenochtend direct een afspraak met de huisarts,' kondigt haar moeder nu ferm aan.

'Waarom zou ik naar de huisarts moeten?'

'Wil je nog eens op die weegschaal staan? Ben jij eigenlijk nog wel ongesteld?'

'Je weet toch dat ik maandverband gebruik?' Ze glimlacht en hoopt dat haar moeder niet op het idee zal komen om dat verband in het vervolg te controleren. Nu is het zaak tactisch en met begrip te reageren. 'Denken jullie echt dat ik wat te mager ben?' informeert ze. Haar vader zwijgt.

'Ben je nou zo dom, of doe je maar zo?' bijt haar moeder haar toe. Ze probeert er niet tegenin te gaan. 'Als jullie dat vinden, dan eet ik toch wat meer?'

'Is dat werkelijk zo eenvoudig voor je?' Het is of haar moeder dwars door haar heen wil kijken.

'Waarom zou dat moeilijk zijn? We gaan straks op vakantie. Ik weet zeker dat ik dan wel meer eet dan normaal. Ik voel me trouwens verder heel goed, dus het is onzin dat jullie je zorgen maken. Misschien was het vandaag net een beetje te koud om te gaan sporten.'

Ze probeert het allemaal heel ontspannen over te laten komen, maar vanuit haar maag drukt de angst zich naar boven. Alles in haar verzet zich tegen haar eigen woorden.

'We gaan bijhouden wat je dagelijks eet,' zegt haar moeder. 'En er wordt niet meer zo idioot gesport. Vanaf nu kun je me echt niet meer voor de gek houden.'

'We moeten haar wel vertrouwen,' zegt haar vader.

'Misschien moet jij eindelijk eens wakker worden.' Haar moeder draait zich om maar de blik die ze even daarvoor op haar vader werpt, spreekt boekdelen.

'Ze meent het niet zo,' hoort ze haar vader zeggen als haar moeder met zware, woedende stappen de trap af dreunt. Als ze naar hem kijkt, begrijpt ze ineens de woede van haar moeder. Ze wilde maar dat hij hier niet zo bleef staan. Ze wilde dat er niemand meer was, dat er niemand meer zo naar haar zou kijken. Waarom was ze toch geboren?

Vanuit de kamer klinken woedende stemmen. Verder is het huis leeg, want Kelly is na het eten direct naar een vriendin vertrokken. Tirza is alleen met de verwijten die door het plafond haar kamer binnen lijken te stromen. Ze kan de woorden niet verstaan, ze hoort de toon vol verwijt die in de harde stemmen klinkt.

Haar schuld... Het is allemaal haar schuld. Ze kruipt in elkaar op bed als de stem van haar moeder nog hoger opklinkt en wordt gevolgd door het harde dichtslaan van de buitendeur. Snelle voetstappen op het tuinpad. Nooit eerder heeft ze geweten dat voetstappen zoveel boosheid konden uitdragen.

In huis heerst nu stilte. Geen enkel geluid dringt tot haar door. Ze sluit haar ogen en probeert te slapen, maar de stilte verontrust haar en jaagt angstige gedachten naar haar hoofd. Minuten kruipen traag voorbij, haar oren proberen geluiden te registreren maar de stilte blijft.

Dan houdt ze het niet meer uit. Zachtjes sluipt ze naar beneden en glipt de kamer binnen. Het lijkt alsof haar vader zich niet van haar aanwezigheid bewust is. Onbeweeglijk zit hij op de bank, zijn hoofd in zijn handen gesteund. Als ze naast hem gaat zitten, kijkt hij op. Aan zijn ogen ziet ze dat hij gehuild heeft, maar hij probeert geruststellend te glimlachen. Ze weet niet anders te doen dan bij hem te gaan zitten en haar armen om hem heen te slaan. 'Het komt wel goed, pap,' fluister ze. 'Het komt echt wel goed.'

Ze weet dat ze niet de waarheid spreekt. Ze zou niet weten hoe het goed moest komen.

De wereld zou op dit moment alleen van haar moeten zijn. Zita wil geen mensen tegenkomen, en al helemaal geen mensen die aan haar vragen hoe het gaat. Hoe komt het dat juist op dit tijdstip mensen massaal hun hond uit gaan laten? Dat moeten ze toch later doen? Waarom komen ze zo vroeg thuis en stappen net hun auto uit als zij voorbij loopt? Is het nodig dat ze dan proberen om een praatje aan te knopen? Heeft vandaag dan niemand haast?

'Goed,' antwoordt ze kort op de belangstellende vragen en ze loopt door voordat er een gesprek kan ontstaan. Sinds de buurtbarbecue van een paar weken geleden zijn de bewoners van de Maretakstraat een stuk toeschietelijker geworden. Dat vond ze prettig en hartverwarmend, maar vanavond even niet. Vanavond zou ze willen dat het anders was.

Wanneer ze het huis van Annabel en Olaf nadert, twijfelt ze. Misschien moet ze eerder afslaan. Vanavond heeft ze al helemaal geen zin om Annabel of Olaf toevallig tegen het lijf te lopen. Wat haar doet besluiten om toch door te lopen, weet ze zelf eigenlijk niet. Al vanuit de verte signaleert ze de vlaggetjesslinger die aan het huis is bevestigd. Er staat een bord in de tuin en ze ziet hoe Olaf daar met een pot verf voor staat. Op het moment dat ze overweegt om toch om te keren, ontdekt hij haar en steekt zijn hand op. Ze kan niet anders dan verder lopen.

'Zo, aan de wandel?' informeert hij als ze binnen gehoorafstand is. Ze knikt, kijkt naar wat hij al op het bord geschilderd heeft. 'Welkom Thu'. Normaal zou ze informeren of ze morgen met z'n allen Kenneth op gaan halen, ze zou willen weten wat hij nu voelt en of hij niet heel erg opgelucht is. Nu knikt ze, steekt even haar hand op en loopt verder. Zodra het mogelijk is, slaat ze rechtsaf de Kamperfoeliestraat in, uit het zicht van Olaf.

Ze hadden niet moeten verhuizen. Met de verhuizing naar de Maretakstraat is alle ellende begonnen. Eerst was er die fraaie vrijstaande woning van Annabel en Olaf. Die woning symboliseerde de verschillen die de afgelopen jaren tussen hen waren ontstaan.

De familie Kolthoorn in een leuke hoekwoning aan het einde van een rijtje, de familie Meyerink in een smaakvol huis in jaren dertig stijl, met bakstenen muren en nostalgische erkers. Een droomwoning die voor haar altijd onbereikbaar zou blijven. De familie Doorsnee tegenover de welgestelde familie Meyerink. Olaf en Annabel lieten zich daar nooit op voorstaan, maar zij had dat toch meer dan eens zo ervaren.

Het ging niet alleen om de materiële kant. Soms leek het alsof het Olaf en Annabel in alle opzichten voor de wind ging. Wijnand begreep haar gevoelens niet. Hij deed ze af als kinderachtige jaloezie. Hij vond het onzin. Wanneer nam Wijnand haar gevoelens eigenlijk serieus? Zelfs net, terwijl Tirza op de weegschaal stond en het bewijs tastbaar op het display te lezen was, meende hij nog dat het allemaal

wel meeviel. Weer vond hij het nodig om haar af te vallen en haar de les te lezen in het bijzijn van hun dochters. 'We moeten haar wel vertrouwen,' had hij gezegd. Hoezo vertrouwen? Tirza had hen steeds voor de gek gehouden. Ze kon liegen dat het gedrukt stond. Het was nu wel duidelijk dat ze terecht niets van die plotselinge ommekeer geloofde. Ze had er toch over gelezen? Anorexiapatiënten weten allerlei wegen te vinden om niet te eten of hun eten weer kwijt te raken. De laatste tijd had ze de nodige informatie over anorexia verzameld. Misschien zou Wijnand de moeite eens moeten nemen om dat ook te lezen. Anorexiapatiënten zijn doorgewinterde leugenaars, Tirza net zo goed. Zij had dat, ondanks alle kennis die ze over het onderwerp vergaard had, nog niet willen geloven. Onder haar ogen zag ze het gebeuren, maar ze bleef hopen dat ze fout zat. Nu kan ze er niet langer omheen en het wordt tijd dat Wijnand zijn oogkleppen ook eens afzet. Ze voelt zich heel erg door hem in de steek gelaten. De woede laait opnieuw in haar op als ze aan zijn reactie denkt.
'Zita!'
Haar naam weerkaatst tussen de huizen, maar ze doet net of ze het niet hoort en versnelt haar pas. Waarom wilde ze destijds toch verhuizen? Waarom had ze niet eerlijk gezegd dat ze het niet leuk vond dat Olaf en Annabel in dezelfde straat kwamen te wonen? Ze probeerden toch altijd eerlijk tegen elkaar te zijn? Of waren dat alleen loze woorden?
'Zita!'
Waarom is Olaf zo volhardend? Snapt hij niet dat ze geen enkele behoefte aan hem heeft? Het is voor de familie Meyerink ook altijd zo vanzelfsprekend dat ze in de belangstelling staan. Zij hoeven daar nooit voor te vechten. Daarom was het voor haar steeds moeilijker geworden dat Jamina sinds de verhuizing het heel gewoon vond om te pas en te onpas binnen te vallen. Met haar luide lach wond ze iedereen om haar prachtige vingertje. Ze leek op haar vader van vroeger. Olaf was in zijn jonge jaren ongekend populair en hij leek dat heel normaal te vinden.

Tirza was zo anders, al was ze net zo goed een leuke meid om te zien. Bovendien liet ze in huis graag haar handen wapperen. Ze kookte, dekte de tafel, deed allerlei huishoudelijke klussen waar zij niet aan toe kwam. Ze was vrolijk, en toch viel de vergelijking in haar nadeel uit als ze met Jamina samen was. Misschien had ze die twee meiden niet steeds moeten vergelijken.

'Zita, doe niet alsof je doof bent. Ik weet dat je niet doof bent.' Olafs hand klemt als een bankschroef rond haar bovenarm. Ze kan niet anders dan in zijn verontwaardigde, donkere ogen kijken. 'Wat is er aan de hand?'

'Ik zei je toch dat ik aan de wandel was?' verdedigt ze zich.

'Nee, dat zei je helemaal niet. Ik vroeg dat aan je en er kon net een knikje af. Zo ken ik je niet en daarom maak ik me zorgen.'

'Soms wil je gewoon niet praten.'

Olaf zucht. 'Zoals je wilt. In dat geval zie ik je morgen met Wijnand wel bij ons om de thuiskomst van Kenneth mee te vieren?'

Hij draait zich om zonder haar antwoord af te wachten.

'Olaf?'

Hij staat stil.

'Ik twijfel of het wel zo'n goed idee is om dit jaar weer samen op vakantie te gaan.'

Hij draait zich om. Zijn ogen zoeken peilend de hare. 'Kom een kop koffie bij ons thuis drinken.'

Ze aarzelt.

'Er is niemand thuis,' zegt hij. 'We kunnen dus in alle rust praten. Tenzij je me niet vertrouwt...'

'Ik ben wel aan koffie toe,' zegt ze.

Bij nader inzien vindt Olaf een glaasje goede port toch beter bij de situatie passen. Zita zit wat ongemakkelijk in de stoel waar Annabel normaal gesproken altijd zetelt.

'Hebben jouw twijfels over de vakantie met Tirza te maken?' Olaf gaat tegenover haar op de sofa zitten.

'Soms zou ik niet meer over Tirza willen praten,' zegt ze zacht. 'Ik weet dat een moeder dat niet zou moeten zeggen, maar het voelt zo.'

'Misschien wil je niet meer over anorexia praten.'

Ze ziet hoe hij naar haar kijkt, alsof hij haar emoties tracht te peilen.

'Tirza *is* anorexia. Het grootste probleem is dat ze dat zelf niet ziet.'

'Ik heb gemerkt dat je het moeilijk vindt om erover te praten, maar we willen je erbij helpen, ook straks tijdens de vakantie. Daar zijn we al die jaren vrienden voor geweest.'

'Wijnand wil het ook niet zien.' Het voelt alsof ze hem verraad tegenover Olaf.

'Dat denk je maar.' Olaf leunt schijnbaar ontspannen achterover.

'Wijnand ziet alleen geen oplossing en als Wijnand geen oplossing ziet, zwijgt hij.'

'Ik verwacht ook geen oplossing van hem. Ik wil dat hij achter me staat!' reageert ze heftig. 'Wijnand staat altijd aan de kant van Tirza. Als ik zeg dat ze moet eten, vindt hij dat ik niet zo moet aandringen. Vanavond heb ik haar gedwongen om op de weegschaal te gaan staan. Ze woog net iets meer dan vijfenveertig kilo. Jij weet ook dat dat voor een meisje met haar lengte verontrustend weinig is. Ik heb haar gezegd dat ze naar de huisarts moet...' Haar woorden zwellen aan tot een stroom. Gedachten laten zich niet langer weerhouden en zoeken zich een weg naar buiten, vergezeld door tranen. Olaf luistert zwijgend. Olaf is terug, de Olaf uit haar herinneringen. De Olaf die bij haar hoorde. Door haar tranen heen, ziet ze zijn ogen die vol interesse op haar gericht zijn. Jaren verdwijnen, Wijnand is niet meer, en Annabel is haar vriendin op de achtergrond. Hij komt op de leuning van haar stoel zitten en wrijft over haar rug. Zo strijkt hij meer dan vijfentwintig jaar weg. Ze legt haar hoofd tegen zijn schouder en wil het daar voor altijd laten liggen, maar ze voelt de druk van zijn hand en als ze opkijkt, ontdekt ze in zijn ogen dat hij haar herinneringen niet gevolgd heeft. Olaf is nog steeds de man van Annabel.

Alarmfase drie! Ik ben nog net niet direct afgevoerd naar het ziekenhuis. Wat een drama! Val ik een keertje flauw, is m'n moeder helemaal overstuur, en dan gaat ze ruziemaken met m'n vader. Ik heb beloofd om meer te eten. Ik wist echt niet wat ik anders moest doen. Ik ga morgen naar de drogist om laxeermiddelen te kopen. Wat moet ik anders? Ik voel me schuldig, schuldig, schuldig!

9

DE AVONDZON HULT CASA LIBERTÀ IN EEN WARME, GOUDEN GLOED.
Tirza kan vanaf haar plekje het fraaie huis een eind boven haar zien
liggen. Vanaf het terras klinken stemmen, maar het is onmogelijk te
verstaan wat die stemmen zeggen. Af en toe klinkt er een luide lach.
Ze sluit haar ogen en voelt hoe ze doortrokken wordt met loomheid.
Een eindje verderop naderen voetstappen door het lange gras en
zonder te kijken weet ze dat het Floris is die haar weer heeft gevonden.

Hij laat zich naast haar zakken, zijn blote been raakt heel even het
hare, gehuld in een donkerblauwe joggingbroek.

'Slaap je?' informeert hij.

'Dan zou ik nu wel wakker zijn.'

Ze hoort hem zachtjes lachen, maar hij zegt niets meer. Stilletjes zit
hij naast haar. Vanonder haar oogharen neemt ze hem op. Zijn
gezicht is gebruind. Het zwarte hemd dat hij draagt, laat zijn gespierde armen vrij. Floris is veel gespierder dan ze dacht. Zijn donkere
haren hangen in een lok over zijn voorhoofd, het kleine sikje geeft
hem iets aparts. Dromerig dwaalt zijn blik over het zonovergoten dal
onder hen. Zo heeft zij even daarvoor ook gezeten en ze had zich
ineens gerealiseerd dat ze zou willen genieten van de schoonheid van
deze omgeving. Dit is Italië zoals elk mens zich dat voorstelt. Het
huis dat ze huren staat in een *borgo*, een Italiaans burchtdorpje met
smalle, sterk hellende straatjes. Elke morgen haalt haar vader brood
bij het petieterige kruidenierswinkeltje van Mulazzo, waar een
vriendelijke, oude dame de scepter zwaait. Het wasgoed hangt te
drogen boven de steegjes, de oude huizen zijn opgetrokken uit zand-
steen. Vanaf haar plekje kan ze de toren 'Di Dante' zien, zo genoemd
omdat de grote poëet Dante er ooit logeerde. Eens maakte de toren
deel uit van het kasteel van de familie Malaspina die destijds het
gebied bestuurde. De Lunigiana, zoals de streek heet waar ze bivak-

keren, is een gebied vol historie. Ze heeft het deze middag allemaal nagelezen in de boeken die ze aantrof in de kleine bibliotheek van hun vakantiewoning.

Floris beweegt, hij buigt zich voorover, ademt zachtjes in het kommetje dat hij met z'n handen heeft gevormd. Hij lijkt zich helemaal te verliezen in de aanblik van het slaperige dal onder hen.

Ze zou net zoals hij willen zijn en haar onrust niet meer willen voelen. Met alle blikken die haar tijdens de maaltijden in de gaten houden, is haar vakantie nog erger dan ze verwachtte. Er is nauwelijks gelegenheid om te braken. Iedereen lijkt geïnstrueerd om haar vooral in de buurt van het toilet niet alleen te laten. Ze voelt zich neerslachtig, maar probeert die gevoelens te overschreeuwen door vrolijk te zijn. Dat lukt niet altijd.

Zou er ooit weer een moment komen waarop ze niet aan calorieën denkt? Het is de eerste keer dat die gedachte in haar opkomt, alsof ze hier met andere ogen naar zichzelf kijkt. Ze gaat rechtop zitten. In het grasland naast hen grazen schapen. Onafgebroken scheuren hun kaken het verdroogde gras af. Was ze maar een schaap. Was ze maar een dier dat onbekommerd voedsel naar binnen kon schrokken. Was ze maar zorgeloos.

'Dit is de hemel,' hoort ze Floris zeggen. 'Dit moment zou je eeuwig vast moeten kunnen houden.'

Ze kan geen momenten vasthouden, ze ziet de hemel niet. Ze is zich scherp bewust van de zwaarte van haar lichaam. Was ze maar niet meegegaan. Was ze maar thuis, waar ze zich terug kan trekken. Hier spant iedereen tegen haar samen. Alleen Floris niet. Hij doet niet alsof ze een klein kind is, hij zeurt niet over haar eetgedrag. Floris zwijgt veel vaker dan de anderen. Floris is haar broer, een echte broer.

Over het pad dat vanaf het huis naar het plekje voert waar Floris en zij zitten, komen langzaam twee mensen aangeklommen. Ze lopen dicht tegen elkaar aan, Finn en Jamina. Twee mensen die geen moment van elkaar af kunnen blijven. Jamina schijnt het ook nog

gek te vinden dat ze weigert met hen op stap te gaan. 'Tirza, ga nou met ons mee... Toe, Tirza... Je bent maar één keer jong. Ze hebben hier toch lekker ijs... Geniet er toch een keer van. Toe, Tirza...'
Het is alsof ze die stem van Jamina de hele dag hoort en die stem klinkt altijd vrolijk. Als ze haar ogen opent, ziet ze hoe Finn zijn arm rond haar heeft gelegd en haar met zijn blik streelt. Hij is anders dan de jongens die zij ontmoet in de discotheek. Hij is anders dan de jongens op school. Hij is heel anders dan de jongens die belangstelling voor haar hebben gehad. Finn is dol op Jamina en dat laat hij doorlopend merken.
'Hé luiwammesen!'
'Jamina, kun jij je voorstellen dat een mens gewoon kan genieten van de schoonheid van de natuur?' hoort ze Floris ontstemd zeggen.
'Dat doen Finn en ik ook wel.'
'Zou je dat dan misschien een keer in stilte kunnen proberen?'
'Nou, de gezelligheid is hier ver te zoeken,' moppert Jamina. 'Laten we maar lekker bij de anderen op het terras gaan zitten. Ik heb wel zin in een glaasje rosé.' Ze verdrinkt in de blik van Finn. Hij laat zich niet onbetuigd en kust haar. Lang en innig staan ze in elkaar verstrengeld. Floris kreunt.
'Je bent gewoon jaloers,' bijt Jamina hem toe voor ze de terugweg aanvaarden. De zon is achter de bergen verdwenen, het wordt eigenlijk te fris om hier te blijven liggen. Toch heeft ze geen zin om op te staan.

'Zevenenzeventig, zevenenzeventig, zevenenzeventig.' Tirza tikt de rand van het zwembad aan en zwemt weer terug. 'Achtenzeventig, achtenzeventig,' herhaalt ze in haar hoofd. Het is prettig zo de hele baan door te tellen. Er is geen ruimte voor gedachten.
Het zwembad is niet groot. 'Negenenzeventig, negenenzeventig...' Nog maar eenentwintig banen. Elke dag zwemt ze er honderd. Soms meer. Vandaag zou ze er honderdtien kunnen doen. Het ligt eraan hoe hard haar moeder zeurt. De hele familie is vandaag naar Lucca

afgereisd. Zij had aangegeven dat ze thuis wilde blijven om het wat rustig aan te doen. Ze had werkelijk gehoopt dat ze een dagje zonder controle door zou kunnen brengen, maar haar moeder had direct aangegeven dat zij ook graag thuis wilde blijven. Niemand protesteerde. Zelfs Floris niet.

'Tachtig.'

Vanuit huis komt haar moeder in badpak aangelopen met een handdoek en een boek onder haar arm. Waarom blijft ze niet wat langer binnen?

'Tirza, maak je het niet te bont?' Haar moeder spreidt de handdoek over het ligbed in de tuin met uitzicht op het zwembad.

'Nééhéé.'

'Hoeveel banen heb je nu al gezwommen?'

'Ik tel ze niet,' liegt ze en zwemt door. 'Tweeëntachtig, tweeëntachtig.'

'Volgens mij tel je wel.'

'Nééhéé.'

Ze zwemt nu van haar moeder af maar ze weet precies hoe ze staat te kijken en te twijfelen. Die twijfel zal binnen de kortste keren omslaan in de zekerheid dat het lang genoeg heeft geduurd. Zo gaat het altijd, zo zal het nu ook gaan.

Als ze omdraait, staat haar moeder zich met zonnebrandcrème in te smeren. Ze zwemt nog vijf banen.

'Volgens mij heb je al wel bijna honderd banen gezwommen!'

'Ik heb ze niet geteld!'

'Nou, in ieder geval is het nu genoeg!'

Ze doet of ze het niet hoort. 'Negenentachtig.' Het zullen er vandaag geen honderdtien worden, maar die honderd gaat ze halen. Absoluut.

'Tirza, je zou niet meer zo idioot sporten. Het is genoeg!'

'Nog even!' roept ze. 'Echt nog heel even.' Ze probeert haar tempo nog iets op te voeren.

'Nog heel even dan.' Haar moeder zet haar zonnebril op. 'Echt heel even.'

'Heel even,' stemt ze in. Misschien kan ze die honderdtien toch nog halen.

Die avond eten ze in het dorp, in een restaurant met uitzicht op de oude boog van het aquaduct. Een drietal bejaarde inwoonsters is op weg naar de bron die zich daar vlak achter bevindt. Terwijl ze het heldere water in de meegebrachte lege flessen laten lopen, praten ze onophoudelijk, hun woorden worden vergezeld door heftige gebaren. Op het terras hebben jonge Italiaanse mannen een plekje gevonden. In luid en rap Italiaans becommentariëren ze een voetbalwedstrijd die pas is gespeeld, af en toe van hun onderwerp afwijkend, als het uiterlijk van een passerende jonge vrouw daarom vraagt.

Olaf heeft een fles witte wijn besteld en als de eerste slokken daarvan met zorg zijn genuttigd, wordt de stemming langzaam losser.

'Het was jammer dat jullie er vandaag niet bij waren,' zegt Annabel voor de zoveelste maal. 'Lucca is een stad die tot je verbeelding spreekt. We hebben een hele tijd op het marktplein gezeten waar een groep zigeuners prachtige muziek ten gehore bracht.'

'Waarbij ik wil aantekenen dat ik het gebedel van die vrouwelijke zigeuners ronduit storend vond,' merkt Olaf op. 'Ik wil best wat uitdelen aan iemand die het nodig heeft, maar hierbij was er sprake van een agressieve bejegening.'

'Ach pap, je moet maar blij zijn dat jij je inkomen niet op die manier hoeft te verdienen.' Jamina zendt een verliefde blik naar Finn die zijn hand op haar knie heeft gelegd. 'Bovendien hebben we er maar even last van gehad.'

'Ik vond het vervelend,' houdt Olaf vol.

'Misschien kunnen we het beter over de schitterende kerken en pleinen van Lucca hebben,' zegt Annabel sussend terwijl ze de menukaart tracht te ontcijferen. 'Kan iemand me vertellen wat *pollo o vitello al limone* is?'

'Het is iets van kip of kalfsvlees met citroen ,' denkt Jamina te weten. 'Ik geloof dat ik maar iets probeer. Mijn Italiaans is niet zo goed maar ik zie toch vanzelf wat ik op mijn bord krijg?'

'Als het maar geen inktvis is,' griezelt Jamina. Finn zendt haar een verliefde blik.

Zita zwijgt en bestudeert de menukaart alsof haar leven ervan afhangt.

'Wat is sla in het Italiaans?' hoort ze Tirza zeggen.

De woorden die ze leest, dringen niet tot Zita door. Vanuit haar ooghoek ziet ze hoe Jamina Finn een kus geeft. Ze glimlachen naar elkaar alsof er niemand anders op de wereld is. Ergernis stuwt het bloed naar haar wangen.

Een oude ober komt hun richting uitsloffen. Olaf probeert met de paar woorden Italiaans die hij spreekt, te weten te komen wat precies een *filetto di coniglio arrostito* is. Als de man met zijn vingers boven zijn hoofd, grote oren tracht uit te beelden, leidt dat tot grote hilariteit. Finn slaat zijn arm om Jamina heen. Tirza tracht de ober uit te leggen dat ze sla wil. Achter hen ziet Zita hoe de jonge mannen haar dochter ineens lijken op te merken. Een van hen maakt een opmerking. De anderen lachen, maar kijken betrapt weer voor zich als ze Zita's blik onderscheppen.

Ze probeert hen te negeren, wijst maar zo iets aan op de menukaart als de ober informeert naar haar wensen. Als hij bij Finn en Jamina is, zijn ze zo in elkaar verstrengeld dat ze hem niet opmerken.

'Jongens, kunnen jullie elkaar even loslaten?' vraagt Annabel en ze lacht erbij. Olaf lacht net zo hard, Wijnand doet ook mee, zelfs Tirza glimlacht en Floris merkt op dat ze misschien van de liefde kunnen leven.

Zelfs de ober lacht welwillend en ze beseft eigenlijk zelf niet waar die hete bal van woede vandaan komt, maar ze voelt de hitte opstijgen.

'Kan ik jou nog een glaasje wijn inschenken?' informeert Olaf. 'Je bent zo stilletjes vanavond.'

'Ik voel me niet goed,' zegt ze. 'Ik voel me gewoon niet goed.' Finn en Jamina laten elkaar los. De jongemannen aan de andere tafel kijken om als ze opstaat, de ober fronst zijn wenkbrauwen.

'Wat heb je dan?' hoort ze Wijnand zeggen. 'Blijf toch zitten.'

Ze schudt haar hoofd, terwijl de inwendige hitte haar verhindert om te spreken. Als ze nog meer zegt, zal ze ontploffen en daarmee zal ze alles kapotmaken.

'Doe niet zou flauw!' roept Olaf haar na, maar ze schudt haar hoofd, loopt langs de groep Italianen, hoort hun lach als ze net voorbij is.

Buiten hoort ze voetstappen achter zich. 'Wat is er aan de hand?' wil Wijnand verontrust weten. 'Ben je ziek?'

'Laat me maar even.' Ze weert zijn armen af die hij in een zorgzaam gebaar om haar heen wil slaan. 'Ik moet nu even alleen zijn.'

'Wat is er dan gebeurd?'

Als ze naar hem kijkt, weet ze dat hij het niet zal begrijpen. 'Er is niets gebeurd,' probeert ze nu rustig te zeggen. 'Ik ben gewoon niet lekker. Je hoeft je geen zorgen te maken. Frisse lucht zal me goed doen. Ga maar gauw terug, ik red me echt.'

Tot haar opluchting loopt hij, zij het nog aarzelend, terug naar het restaurant.

De zon is achter de bergen verzonken, maar de temperatuur is nog aangenaam. Zita heeft Mulazzo achter zich gelaten en loopt zonder enig idee van tijd en richting te hebben. De geweldige natuur glijdt aan haar voorbij zonder indruk te maken. Ze mist het bord 'Gavedo' dat bij de ingang van een klein dorp staat. Een jonge vrouw staat voor een huis en groet haar met een vriendelijk 'Bueno notte'. Automatisch beantwoordt ze de groet maar de aanwezigheid van de vrouw dringt niet werkelijk tot haar door. Als ze het dorp achter zich laat, lijkt ze opnieuw de enige mens op de smalle weg die zich als een lint tussen de bomen doorslingert.

De dodelijke vermoeidheid overvalt haar en verdringt de hitte van de woede, die ze even daarvoor nog in zich voelde. Ze kan niet anders dan plaatsnemen op een oud, brokkelig muurtje dat zomaar in het landschap opdoemt. Duisternis rukt op, maar de betekenis daarvan lijkt niet tot haar door te dringen. Ze voelt geen angst, ze vraagt zich niet af of de anderen zich bezorgd maken. Langzaam wordt ze omgeven door duisternis. Op de een of andere manier vindt ze dat prettig.

Koplampen, die plotseling rond de bocht opdoemen, verblinden haar. Ze slaat de handen voor haar ogen en verwacht dat de auto voorbij zal gaan.
Remmen piepen, er vliegt een portier open, een stem schreeuwt. Zijn stem. Olaf komt haar halen.
'Zita! Wat doe je hier in vredesnaam?'
Ze glimlacht naar hem, wil haar hoofd tegen zijn schouder leggen, maar zijn handen klauwen zich rond haar schouders. 'Ben je gek geworden? We zijn allemaal doodongerust en jij zit hier gewoon op een muurtje. Wat is er met je aan de hand? Denk je dat je alleen op de wereld bent? Hoe haal je het in je hoofd om hier helemaal heen te lopen? We dachten dat je er zo weer zou zijn, of dat je misschien naar bed was gegaan. Wat zoek je hier? Denk je dat je hier je jaloezie kwijt zult raken? Wil je ons treffen omdat...'
'Au, je doet me pijn,' zegt ze en probeert zijn handen los te maken. 'Ik ben niet jaloers. Hoe kom je erbij dat ik jaloers zou zijn?'
'Je bent wel jaloers. Je kunt het niet hebben dat Jamina zo verliefd is op Finn. We begrijpen dat allemaal wel, Zita. We snappen best dat je het moeilijk vindt, dat je zou willen dat Tirza ook zo onbezorgd verliefd kon zijn. We begrijpen dat allemaal. Sterker nog, we willen allemaal niet anders. Het probleem is dat we Jamina en Finn niet kunnen weerhouden om van elkaar te genieten. Ze zijn dol op elkaar en dat straalt eraf. Vertel eens eerlijk; was dat bij ons vroeger niet net zo? Ik kon niet van Annabel afblijven, jij zat te zoenen met Wijnand waar iedereen bij zat. Waarom zouden we het Jamina en Finn dan verbieden? Zou het dan met Tirza beter gaan? Zou jij daarvan opknappen? Het gekke is dat ik het idee heb dat Tirza er helemaal geen problemen mee heeft. Ik krijg zelfs het idee dat het haar

totaal niet interesseert. Laat het los, Zita.'

De hitte is terug. De hitte kleurt haar wangen rood en laat haar stem overslaan. 'Jij weet niet hoe het is als mensen naar je dochter wijzen omdat ze gewoon lelijk mager is. Jij hebt geen idee hoe het voelt als er om je dochter wordt gelachen. Jij hebt je nog nooit voor je kinderen hoeven te schamen!'

'Als je nu eerst eens in die auto stapt, dan kunnen we er onderweg over praten. Iedereen is namelijk ongerust.'

Hij keert de auto als ze naast hem zit, rijdt voorzichtig over de smalle, slingerende weg. 'Weet je voor wie ik me heb geschaamd?' zegt hij als ze even onderweg zijn. 'Ik heb me voor Kenneth geschaamd.'

Ze kijkt naar buiten, waar af en toe een lichtje in de duisternis pinkt. 'Ik schaamde me toen hij aangaf een carrière in het leger te ambiëren. Kinderen van mij behoren namelijk niet in het leger te gaan. Je weet hoe ik vroeger was. Ik leek misschien overal tegenaan te schoppen, ik was een rebel, maar bovenal streefde ik de vrede na. Ik meende het. Ik wilde die vreselijke bommen en wapens niet. Ik wil ze nog niet.'

Zijn stem klinkt hartstochtelijk. Hij lijkt weer een beetje op de Olaf van vroeger. 'Ik schaamde me en zweeg. Als mensen over mijn kinderen begonnen, probeerde ik van onderwerp te veranderen. Ik vond het vreselijk om te vertellen dat mijn oudste zoon in het leger zat.'

'Alsof je daar ook maar iets aan kunt doen,' zegt ze zacht en haar blik laat de duisternis buiten los. Ze kijkt naar zijn handen die het stuur vast omklemmen.

'Ik heb me pas gerealiseerd dat ik me vooral voor mezelf schaamde. Ik realiseerde me dat toen Kenneth uit Afghanistan kwam met verhalen. Ik schaamde me omdat ik mijn idealen van vroeger verloochend had en mijn kinderen niet had kunnen meegeven dat geweld niets oplost. Ik had gefaald.' Hij zwijgt even en ze ziet hoe zijn knokkels wit worden. 'Kenneth kwam weer naar huis. Hij vertelde over het opbouwwerk in Afghanistan, dat hij getracht had mensen een beter bestaan te geven. Op de een of andere manier schaamde ik me toen nog meer voor mezelf.'

'Dat is toch heel anders dan de schaamte die ik voor Tirza voel als we samen over straat lopen,' meent Zita.

'Het is niet te vergelijken,' geeft hij toe. 'Ik wil je alleen maar mee-geven dat je niet de enige bent die zich schaamt voor een kind. Ik ken je behoorlijk goed en ik weet dat je je schuldig voelt. Of dat nu terecht of onterecht is, het heeft geen zin. Belangrijk is nu dat je Tirza laat merken dat je achter haar staat, dat je haar wilt helpen en dat je van haar houdt. In schuldgevoel kun je blijven hangen. Het is aan jou om die gevoelens opzij te zetten. Je hebt Tirza naar beste weten opgevoed, je houdt van haar. Steun haar in de komende tijd en neem de stappen die nodig zijn. Annabel en ik willen jullie daar-bij helpen. We hebben met z'n allen zo'n hechte band. Jullie pro-bleem is ons probleem. Wij houden namelijk ook van Tirza. Na al die jaren van vriendschap zou je dat toch moeten weten.' Hij legt heel even zijn hand op haar knie en glimlacht haar bemoedigend toe. De borgo doemt boven hen op, met lichten tegen een donkere hemel. Olaf begrijpt het niet. Hij stelt het te eenvoudig voor; toch doen zijn woorden haar goed.

Een koor van cicaden zingt door de hitte van de vroege middag ter-wijl het dorp rust. Tirza heeft haar ezel met doek aan de rand van de tuin geplaatst, van waaruit ze een schitterend uitzicht over de vallei van de rivier de Magra heeft. In de schaduw, op het bankje naast haar, zit Floris met zijn laptop. Vanuit het huis klinkt geen geluid. Finn en Jamina zijn naar de Magra gelopen om verkoeling te zoeken, haar ouders zitten allebei in huis een boek te lezen, oom Olaf en tante Annabel zijn naar Pontremoli gereden. Hoewel daar op dit tijdstip niet veel te beleven valt.

Waarschijnlijk wilden ze gewoon haar ouders ontlopen die het ont-bijt in ijzig stilzwijgen hadden doorgebracht. Gisteravond hadden ze een heftige woordenwisseling gehad. Vermoedelijk meenden ze zelf dat ze hun volume daarbij op een beschaafd niveau hadden weten te houden, maar desondanks had iedereen van hun verwijten kunnen meegenieten.

En toch was haar vader dolgelukkig geweest toen oom Olaf in het gezelschap van haar moeder was teruggekeerd. Pas later had de opluchting plaatsgemaakt voor onbegrip en woede. Van de flarden van zinnen die zij later had meegekregen, had ze wel begrepen dat het met haar te maken had. Haar moeder was om haar weggelopen, ze hadden nu om haar ruzie.

Haar kwast hangt werkeloos in de lucht.

De bergen en het dal staan in ruwe streken op het linnen. 'Ik begrijp jouw manier van schilderen niet,' zal haar moeder weer zeggen als ze het resultaat ziet. 'Als jij iets schildert, lijkt het niet op de werkelijkheid en toch herken ik er iets in. Het zal wel modern zijn, maar ik vind het niets. Als dat kunst is, dan wil ik graag wat minder kunstzinnig zijn.'

Waarom kan een moeder haar dochter niet begrijpen? Is het omdat ze anders is? Met Kelly heeft haar moeder dat probleem niet. Kelly maakt haar dromen waar. Tussen tante Annabel en Jamina is er ook niet zoveel wrijving. Ze zou helemaal niet zo anders willen zijn. Met een woest gebaar vol onmacht, haalt ze haar kwast door de verf op het palet, en ziet ineens dat Floris naar haar kijkt.

'Wat is er?' informeert ze geërgerd.

Hij haalt zijn schouders op.

'Wat zit je naar me te kijken?'

'Ik vroeg me af wat je nu allemaal denkt,' zegt hij bedachtzaam. 'Die kwast heeft een hele tijd in het luchtledige gehangen en op de een of andere manier geeft me dat niet het idee dat je heel erg geïnspireerd bent.'

'Soms denk ik dat ik het niet kan, dat ik het niet ga redden.'

'Je bedoelt op die kunstacademie? Kom op, je hebt toelatingsexamen gedaan en beide commissies hadden alle vertrouwen in je. Het zal misschien niet makkelijk zijn omdat er veel van je gevraagd wordt,

omdat je hoogstwaarschijnlijk tegen je zwakke punten zult aanlopen, maar je kunt het. Zo'n examen is er niet voor niets, het is
eigenlijk een onderzoek of je die opleiding aan zult kunnen. Jij kunt
het. Anderen werden afgewezen, maar jij niet.'
Hij klapt z'n laptop dicht en zet die naast zich neer. 'Wat jij maakt,
is overweldigend goed.'
'Er zijn mensen die daar anders over denken.'
'Als mensen je werk niet begrijpen, wil dat niet zeggen dat het niet
goed is. Misschien zegt het meer over de mensen zelf. Mensen zijn
snel geneigd om iets af te wijzen dat anders is.'
'Of iemand,' vult ze zacht aan.
Ze gaat naast hem zitten, bestudeert haar schilderij van afstand. Er
moet nog veel aan gebeuren.
'Je bent bang,' hoort ze Floris zeggen. 'En ik weet dat je niet alleen
bang voor die opleiding bent. Ik praat er nooit over want ik wil niet
zijn als al die anderen. Het probleem is dat ik deze dagen zoveel heb
ontdekt.'
Ze zwijgt en luistert naar het concert van de cicaden. 'Elke keer als
we aan tafel zitten, zie ik de angst in je ogen. Ik hoor je moeder aandringen en ik zie hoe ze je dwingt om te eten. Ze doet het voor je
bestwil en misschien ziet zij jouw angst niet. Ik zie het wel. Je bent
doodsbang om te eten, bij elke hap die je neemt lijkt je grootste vij-
and je te bedreigen.'
Ze wil eigenlijk niet dat hij verder praat, maar ze is niet bij machte
om hem te stoppen. Floris is anders dan de anderen, ook nu hij dingen zegt die ze niet wil horen. 'Je hebt een droom en het zou vreselijk zijn als je die niet zou kunnen waarmaken. Je maakt dingen die
de wereld moet leren kennen. Ik bewonder je daarom. Eigenlijk sta
je nu voor een keuze, Tir. Jij bent de enige die deze droom kunt ver-
wezenlijken. Alleen jij kunt die keuze maken. Je gaat naar die kunstacademie en je overwint je probleem. Of je gaat zo door. Misschien
dat je het nog wel even kunt volhouden, maar uiteindelijk eindigt
die keuze in de dood.'

Lijkt het zo of zwijgen de cicaden werkelijk? Houdt het dal zijn adem in en galmen zijn woorden na tegen de bergen?

Floris haalt diep adem, zijn stem klinkt hees. 'En weet je... daar ben ik nu doodsbang voor.'

'Rot op...' Haar stem klinkt hard en rauw. 'Ga alsjeblieft weg.'

Nog even aarzelt hij, dan pakt hij de laptop, stopt die haastig in de tas en loopt naar het verstilde huis. Zijn woorden volgen hem niet. Ze blijven bij haar en doen haar huiveren. Floris, juist Floris, die anders nooit iets zegt. Ze voelt zich verraden en weet tegelijkertijd dat zijn woorden ware woorden zijn.

Soms zou ik er niet meer willen zijn. Eigenlijk wil ik dat best vaak. Ik wil niet dood of zo, maar gewoon oplossen in het niets. Floris is bang dat ik doodga! Floris zegt nooit iets, zeurt nooit dat ik te weinig eet. Ik vertrouwde hem. Ik vertrouwde hem echt. Misschien dat ik het daarom zo erg vind dat hij zei dat hij doodsbang is dat ik doodga. Juist Floris...

10

'KOMEN JULLIE ZATERDAGAVOND BIJ ONS DE VAKANTIEFOTO'S BEKIJken?' Annabel staat voor het raam waarop de regen mistroostig strepen trekt. 'Volgens mij hebben we wel zeshonderd foto's. Wat zeg je, jullie hebben er ook zoveel? Ik denk dat we er goed aan doen om ze eerst even uit te zoeken.'

Ze glimlacht als ze Zita hoort zeggen dat ze er wellicht niet aan toekomt om de foto's uit te zoeken en dat ze misschien voor een paar weken later kunnen afspreken.

'Welnee, dan bekijken we ze van jullie toch alle zeshonderd. Ik wil die sfeer van de vakantie nog even proeven. Het is hier zo mistroostig. Ik wist vandaag echt niet waar ik het zoeken moest. Jamina was naar Finns ouders, Floris was naar een vriend en Olaf was uiteraard weer druk op het gemeentehuis.'

Ze steekt haar tong uit naar Olaf die gehaast heen en weer loopt. 'Ja, hij moet zo ook alweer weg. Mijn man heeft het altijd druk, dat weet je toch? Ach, is Wijnand ook al weer naar het werk geweest? En jij? Ik heb je niet langs zien komen. Toch wel?'

Haar vinger volgt een spoor van de regen op de ruit. 'Ja, dan heb je weinig tijd om mistroostig van het weer te worden. Nou ja, in ieder geval hoop ik jullie hier zaterdagavond te zien. Probeer Tirza mee te krijgen. Floris en Jamina zullen het leuk vinden.'

Ze zucht als ze het rode knopje indrukt, en kijkt naar Olaf die zijn colbert aantrekt. 'Soms weet ik niet wat ik aan Zita heb. Volgens mij hebben we toch een heel gezellige vakantie gehad, maar als ik haar dan vraag voor de foto's, lijkt het alsof ze dat alweer vergeten is.'

'Dat heeft er dan waarschijnlijk mee te maken dat ze vandaag weer gewoon achter haar bureau heeft gezeten. Als ik de deur van m'n kantoor open, kan ik me ook niet meer voorstellen dat ik op vakantie ben geweest.'

'Wil je nu zeggen dat...'

'Ik wil niets zeggen, vrouwlief. Het is misschien nog wel moeilijker om het leven weer op te pakken als je thuis tussen al dat wasgoed achterblijft. Ik snap ook niet dat je onze voortreffelijke hulp Jetty niet belt om een dagje extra te komen. Volgens mij heeft Jetty strijken als hobby.'

Hij pakt zijn sleutels van de tafel en kust haar op de wang. 'Vanavond maak ik het niet zo laat, zodat we samen nog een glaasje wijn kunnen drinken voor we gaan slapen.'

Ze heeft dit al zo vaak van hem gehoord en even vaak zat ze alleen dat glas wijn te drinken. Ze heeft het hem steeds vergeven, ze zal dat ook blijven doen.

Zita zet de borden in de vaatwasser en klapt het deurtje dicht. Waarom heeft ze toegestemd in die afspraak met Annabel om zaterdagavond foto's te bekijken? Ze had toch gezegd dat het haar niet uitkwam? Dat ze geen tijd had om al die foto's uit te zoeken, dat Wijnand daar ook niet aan toe zou komen en dat het misschien beter was om voor een paar weken later af te spreken? Ze hoeven er feitelijk niet speciaal een avond voor te plannen. Elke zondag uit de kerk drinken ze bij elkaar koffie. Het is toch net zo handig om dan die foto's te bekijken? Waarom komt dat nu pas in haar op en heeft ze dat niet naar voren gebracht? Annabel zit thuis. Annabel heeft tijd om zich met dat soort dingen bezig te houden, maar zij is druk met haar werk, met het wegwerken van de inhoud van de koffers en het stof in haar huis heeft geen vakantie gehouden. Haar hulp in de huishouding komt maar een keer per week.

Waarom durfde ze dat allemaal niet te zeggen?

Omdat Wijnand het haar kwalijk zou nemen? Omdat ze de schijn wil ophouden dat het een geslaagde vakantie is geweest? Is ze bang dat een vriendschap van jaren eronder zou lijden? Tegen vrienden kun je dit soort dingen toch zeggen? Vrienden begrijpen elkaar. Annabel zou het toch begrijpen als ze was blijven volhouden dat het haar niet uitkwam? In plaats van meteen bakzeil te halen, had ze toch eerlijk kunnen zijn?

Eerlijk?

Wat is eerlijkheid?

Betekent eerlijkheid dat ze gebeurtenissen van jaren geleden moet oprakelen omdat ze haar dreigen in te halen? Moet ze met eerlijkheid een vriendschap vernielen? Waarom was juist deze vakantie zo confronterend? Waarom kreeg ze er juist nu zoveel moeite mee? Jarenlang hadden ze toch deel uitgemaakt van haar pijnlijke herinneringen? Jarenlang had ze toch gezwegen zonder er heel veel moeite mee te hebben?

Waarom dan nu wel? Komt het door de dromen die nu steeds vaker deel uitmaken van haar nacht? In de vakantie is het begonnen. Badend in het zweet werd ze wakker. Herinneringen, die ze al die jaren gevangen had gezet, bleken zich te hebben bevrijd. Ze lieten zich niet langer opsluiten, maar openbaarden zich in haar dromen.

Er was een woord dat steeds boven dreef, bij alles wat ze deed, bij alles wat er in haar leven gebeurde. Het was een woord dat in hoofdletters werd geschreven: SCHULD.

Die schuld zal ze niet kwijtraken. Ook niet als ze pogingen onderneemt om minder bij Olaf en Annabel over de vloer te komen. Het contact met Olaf verwart haar sinds de vakantie. Daarvóór had ze het kunnen hanteren. Of was daar een ander woord voor? Was 'negeren' beter op zijn plaats? Ze had gewerkt, al die jaren had ze keihard gewerkt. Ze wilde een goede moeder zijn. Sterker nog, ze wilde de beste moeder zijn, en ook een prima echtgenote, en uiteraard mocht haar werk ook niets te wensen overlaten. Zij mocht niet falen. Zij moest het beter doen dan Annabel, veel beter.

Elke blik die ze op Tirza wierp, overtuigde haar ervan dat ze jammerlijk tekort was geschoten. Tegenover Olaf had ze het tijdens de vakantie over schaamte gehad. Ze had eerlijker moeten zijn en over schuld moeten praten.

Ze pakt een emmer, laat die vol water lopen, en haalt de planten uit de vensterbank.

'Wat ga je doen?' informeert Wijnand verbaasd als ze de kamer binnenkomt, gewapend met emmer en spons en zeem.

'Wat denk je?'

'Je gaat nu toch de ramen niet lappen? Je hebt de hele dag gewerkt! Dat kan later toch wel eens. Die ramen lopen niet weg.'

'Ik zit net zo lekker televisie te kijken,' moppert Kelly.

'Het regent,' merkt Wijnand op.

'Binnen toch niet,' zegt ze en haalt een trapje. Ze ziet hoe Tirza opgekruld in een stoel ligt. Onophoudelijk bewegen haar benen, eerst de een, dan de ander. Haar kaken malen kauwgom. Met woedende gebaren mishandelt ze het raam met de spons. Buiten blijft de regen maar bedroefde strepen trekken.

Nu de vakantie voorbij is, komt de kunstacademie angstig dichtbij. Voor de vakantie was het Italië waar Tirza tegenop zag. Die weken heeft ze overleefd, nu dreigt het nieuwe en het onbekende. 'Een uitdaging,' noemt Jamina het. 'Eindelijk je eigen verantwoordelijkheid. Ik denk dat ik zo snel mogelijk op kamers ga. Eindelijk weg uit huis.' Ze zou het ook willen. Ze wil niet langer verantwoording afleggen, ze wil niet langer haar gewicht bevechten, ze is moe van de discussies.

'Geen sprake van,' had haar moeder direct gezegd toen ze er voorzichtig over begon. 'Als we dat toelaten, gaat het binnen de kortste keren helemaal mis met je.'

'Mis...' Zou haar moeder daar hetzelfde mee bedoelen als wat Floris aangaf op die hete middag in de tuin van hun vakantiewoning? Bedoelt ze met mis de dood?

Op dat gesprek waren Floris en zij nooit meer teruggekomen. Hij was een poosje later teruggekeerd in de tuin, had een poosje naar haar schilderij gekeken en gezegd dat het goed was. Ze was er zelf ook tevreden over, het hing op haar kamer.

'Ik vind het heel anders dan het is,' zei haar moeder toen ze het resultaat kwam bekijken. 'Je moet niet denken dat ik alle moderne kunst afwijs. Het is... als jij iets schildert, heeft het altijd iets bedreigends. Zelfs dit lieflijke dal heeft niets lieflijks meer.'

Ze kijkt naar haar moeder die nog steeds verbeten de spons over het raam haalt, alsof dat in jaren niet gelapt is.

'Ik begrijp niets van jouw schilderkunst,' was ze op die middag verdergegaan 'Dat zal het wel zijn. Het is net of het je donkere kant naar boven haalt en die kant maakt me angstig.' Ze hadden er allemaal omheen gestaan, in die zonovergoten tuin met oleanders en olijfbomen.

'Het is Tirza's eigen angst die in elk schilderij naar voren komt,' had Floris zacht opgemerkt, maar niemand had daarop gereageerd.

'Tirza, kun je misschien gewoon even stilzitten?' De spons belandt met een plons in het water, veroorzaakt spetters op de glanzende vloer. 'Je moet eens naar jezelf in de spiegel kijken als je op die kauwgom loopt te kauwen. Er beweegt bij jou altijd wat, kaken, benen, armen... Het scheelt misschien weer een paar calorieën, maar ik word er gek van.'

'Zita, toe...' maant Wijnand haar. 'Moeten we er nu allemaal onder lijden dat jij chagrijnig bent?'

'Neem je verantwoordelijkheden eens en let zelf wat beter op je dochter,' bijt ze hem toe, voordat ze naar de keuken beent om de emmer leeg te gooien.

'Misschien kun je toch even stil zitten?' vraagt Wijnand nu vriendelijk aan Tirza.

Kelly staat op.

'Wat ga je doen?' wil Wijnand weten.

'Naar boven. Ik word gek van de sfeer hier en die wiebelende benen en dat gedoe altijd over haar.' Beschuldigend wijst haar vinger in Tirza's richting. 'Misschien moet ze eens inzien waar ze mee bezig is. Ik heb maar één zusje. Waarom kan die niet normaal zijn?'

Kelly blaast de aftocht. Vanuit de keuken klinken heftige stemmen voordat haar voeten op de trap naar boven roffelen. Wijnand zucht.

'Ik zou willen dat ik hier eens gewoon naar een film kon kijken.'

'Wat mij betreft mag je,' zegt Tirza. 'Ik ga nog wel een rondje hard-lopen.'

Ze botst bijna tegen haar moeder op, die haar zwijgend voorbij laat gaan.

'Zaterdagavond moeten we foto's kijken bij Olaf en Annabel,' zegt Zita, terwijl ze bij de televisie blijft staan in de hoop Wijnands blik te vangen.

'O, leuk...' Zijn ogen laten het scherm niet los.

'Ik heb er eigenlijk helemaal geen zin in.'

Hij glimlacht om iets wat op televisie gezegd wordt.

'Ik heb daar dus geen zin in,' herhaalt ze nu wat luider.

'Waarom niet?'

'Ik heb geen tijd om onze foto's uit te zoeken en ik heb net twee weken Olaf en Annabel achter de rug.'

'Dat hindert toch niet?'

'Nee, dat hindert niet, maar toch heb ik er geen zin in.'

'Ik zou niet weten waarom niet. Het is er toch altijd gezellig?' Opnieuw die grijns op zijn gezicht.

'Misschien moeten we daar maar eens over praten als je wat meer aandacht voor me hebt.'

'Ja, dat lijkt me goed.'

Ze weet zeker dat hij niet kan navertellen wat ze hem heeft gevraagd. Het ontbreekt haar aan energie om er ruzie over te maken.

'Zit jij hier eigenlijk altijd?' informeert Tirza als ze Floris langs de waterkant ontmoet.

'Kan ik hetzelfde niet aan jou vragen?' Druppels lopen vanuit zijn donkere haren langs zijn wangen. Eentje blijft aan zijn neus hangen. Geërgerd veegt hij er met zijn hand langs.

'Ik loop hard,' verweert ze zich.

'Ik kom hier tot rust.'

Ze kijkt naar hem terwijl hij kleine stukjes van een boterham trekt om die naar de eenden te gooien. Luid snaterend geven ze blijk van hun ongeduld. Een paar van de brutaalste komen de wal op.

'Misschien moet je ook eens wat meer aan sport doen.'

'Waarom?'

'Het is gezond om te sporten.'

'Sport jij ook omdat het gezond is?'

'Ja, natuurlijk. Ik voel me er goed bij.' Tirza zegt het met nadruk, zodat hij maar niet zal twijfelen.

Floris zwijgt even, hij schraapt zijn keel, friemelt nerveus met zijn handen. 'Heb je nu wel even tijd om bij mij thuis iets te drinken?' vraagt hij dan.

Ze heeft geen zin om naar oom Olaf en tante Annabel te gaan en zoekt naar een uitvlucht.

'Mijn ouders zijn niet thuis,' hoort ze hem zeggen. 'Er is niemand thuis, dus ik zit me in m'n eentje te vervelen.'

'Eventjes dan.'

Als ze met hem meeloopt, heeft ze alweer spijt van haar toezegging.

Het huis van oom Olaf en tante Annabel was nooit vreemd of onwennig. Toen ze een kind was, vond ze het al heerlijk om in een hoekje van hun sofa weg te kruipen. Het overige meubilair is steeds veranderd, maar de sofa is gebleven. Steeds opnieuw bekleed met kleuren die zich aanpasten aan de rest van het interieur. De sofa verhuisde al die jaren mee en staat nu op de afscheiding tussen zit- en eetgedeelte van de kamer, op een plaats die een goed uitzicht biedt op de straat. Tirza heeft haar schoenen uitgeschopt en haar benen onder zich getrokken. In de keuken kookt het water voor de thee die ze bij Floris heeft besteld. Ze hoort hem neuriën. Op de een of andere manier wordt ze daar rustig van. Floris is de enige bij wij wie ze zich op haar gemak voelt, realiseert ze zich nu. Bij hem heeft ze nooit het idee dat hij haar afwijst of bekritiseert, zelfs niet na zijn opmerking in Italië die haar dieper had geraakt dan ze zichzelf wil toegeven. Floris is een vriend bij wie ze zich veilig voelt, misschien is dat het goede woord. Voor haar is Floris een broer en tevens haar beste vriend. Ze glimlacht om haar eigen conclusie.

'Je hebt nogal plezier,' hoort ze hem zeggen. Hij zet een dampend theeglas voor haar neer, trekt zelf een flesje bier open. 'Wil je het me vertellen of is het een binnenpretje?'

'Het is een binnenpretje dat ik best met je wil delen. Ik bedacht dat jij niet alleen mijn beste vriend bent, maar ook een broer. Zo voelt het.'

'Zoals ik vroeger werkelijk dacht dat jij m'n zusje was. Wat kan een kind toch vreemde gedachtekronkels hebben. We woonden niet eens zo dicht bij elkaar als nu. Misschien kwam het omdat we tijdens belangrijke gebeurtenissen altijd bij elkaar over de vloer kwamen.'

'We gingen bovendien samen op vakantie.'

'Nu nog...'

'Ja, nu nog. Onze families hebben een bijzondere relatie.'

'Het lijkt een prachtig plaatje.' De schuimkraag piept boven de rand van het flesje uit, met zijn lip werkt hij die weg, wacht af tot het witte schuim opnieuw over de rand kruipt.

'Dat zeg je treffend.'

'Ik moest er tijdens de vakantie aan denken toen we met z'n allen naar jouw schilderij stonden te kijken. Voor een buitenstaander is het natuurlijk heel bijzonder hoe we met elkaar omgaan. Op dat moment bedacht ik dat er een flinke laag vernis over dat plaatje was gestreken.'

'En onder dat vernis...' begrijpt ze.

'Ja, daar bruist en broeit van alles, maar niemand wil het toegeven. Iedereen probeert dat prachtige familieportret in stand te houden, maar misschien lijkt het meer op de schilderijen die jij maakt dan we denken.'

'Misschien is mijn moeder er daarom zo bang voor.'

'Dat is mogelijk.' Hij drinkt een paar slokken uit zijn flesje. 'Ik heb je eigenlijk uitgenodigd omdat ik je iets wil vragen.'

Ze zet zich schrap.

'Ik zit er al een poosje over te denken om in Zwartburg op kamers te gaan,' begint hij. 'Al die tijd heb ik het voor me uitgeschoven, maar nu Kenneth weer thuis woont en Jamina heeft aangegeven dat ze zo snel mogelijk het huis uit wil, kwam het weer boven. Vanmorgen kreeg ik een mailtje van een studiegenoot die me vertelde dat hij in de vakantie had besloten dat hij stopt. Hij heeft een mooie flat in Zwartburg die hij huurt van een oom van hem. Zijn oom wilde graag dat hij een andere huurder zocht en hij dacht aan mij. Ik heb op school wel eens aangegeven dat ik erover dacht naar Zwartburg te verhuizen. Daarom mailde hij me. Ik ken de flat. Mijn studiegenoot heeft me eens een hele rondleiding gegeven. Eigenlijk is de ruimte te groot voor mij alleen. Lijkt het jou iets om me gezelschap te houden?'

'Mijn moeder...' begint ze.

'Jouw moeder ziet het niet zitten dat je ergens in je eentje zit,' vult hij aan. 'Zou ze er niet anders over denken als we een flat delen?'

'Tijdens de vakantie heeft ze meer dan eens gezegd dat ze het prettig vindt dat wij het zo goed kunnen vinden. Ze zal alleen weer beginnen over mijn eetgewoontes. Waarschijnlijk wil ze dat je me controleert.'

'Dan zal ik antwoorden dat ik dat zal doen.' Hij glimlacht. 'Een leugentje om bestwil.'

'Jij bent ook bang dat ik doodga.' Het komt er timide uit.

'Dat was ik,' zegt hij. 'Maar ik denk nu dat je het zover niet laat komen. Je bent een intelligente meid. Ik heb er echt vertrouwen in dat je het niet zover laat komen.'

Ze peilt hem, ziet hoe hij opnieuw rustig een paar slokken uit het flesje neemt. Nerveus peutert ze aan de schuifjes waarmee ze haar haren heeft opgestoken om te maskeren dat haar lokken steeds meer uitdunnen. 'Denk je niet dat ze moeilijk gaan doen over het feit dat we als man en vrouw in een huis gaan wonen?'

'Ik heb nog nooit de behoefte gevoeld om met m'n zus het bed te delen, dus ik ben niet van plan om dat nu wel te gaan doen.'

'Je denkt er wel makkelijk over.'

'Waarom zouden we het ons zo moeilijk maken? Nou, wat denk je ervan?'

Ze ziet het voor zich. Haar eigen plek, niet ver van school. Geen gezeur van haar ouders. Zelf beslissingen nemen en eindelijk volwassen zijn. 'Het lijkt me super,' zegt ze uit de grond van haar hart. 'Dan moeten we nu alleen onze wederzijdse ouders nog overtuigen. Proost!' Hij drinkt de laatste slokken uit zijn flesje.

In het donker van de nacht ligt Zita met wijd open ogen na te denken over het verzoek van Tirza. Uitgelaten was ze thuisgekomen, veel later dan Wijnand en zij hadden verwacht. Ze was met de deur in huis gevallen en had het idee van Floris aan hen voorgelegd.

Haar eerste ingeving was een veto geweest waarmee ze het voorstel direct naar de prullenbak zou verwijzen. Floris en Tirza? Geen sprake van. Ze konden wel beweren dat ze zich broer en zus van elkaar voelen, ze zijn het niet.

'Ik vind het nog niet zo'n gek idee,' had Wijnand natuurlijk direct weer gezegd. Waarom kon hij het nooit gewoon met haar eens zijn? 'Laten we er een nacht over slapen.'

Naast haar klinkt zijn rustige ademhaling. Hij ligt niet te piekeren. Hoe komt het toch dat mannen zoveel makkelijker zijn? Soms zou ze daar met haar eigen moeder nog eens over willen praten. Was haar vader ook zo geweest? Ze had nauwelijks herinneringen aan hem. Hij was overleden toen zij net zeven jaar oud was. Ze weet dat hij haar vaak voorlas en dat ze graag met hem naar het park ging om te wandelen. Soms meent ze dat ze zich zijn stem nog kan herinneren, maar misschien verbeeldt ze zich dat alleen maar. Een feit is dat ze haar vader ontzettend gemist heeft. Na zijn dood had haar moeder alle aandacht op haar enige dochter gericht. Zita was de enige die haar nog restte. 'We lijken wel vriendinnen,' had haar moeder meer dan eens gezegd. 'We hebben zo'n fijne relatie. Dat heb ik met m'n eigen moeder nooit gehad.'

Achteraf had Zita zich afgevraagd of hun relatie inderdaad zo goed was. Ze probeerde doorlopend te voldoen aan de eisen die haar moeder stelde. Annabel wees haar daarop. Annabel zorgde ervoor dat ze op zaterdagavond met z'n tweeën uitgingen. Annabel zorgde ervoor dat ze kon genieten van haar jeugd. Waarschijnlijk was dat de reden dat haar moeder Annabel niet kon luchten of zien. Net zoals ze Olaf later niet zag zitten, al was hij dan de zoon van de Meyerink van het advocatenkantoor. Ze had hem betiteld als een onbetrouwbare betweter.

Zonder het te weten, had Olaf dat vooroordeel bevestigd. Later, toen hij bij Annabel ging horen. Alsof hij een besmettelijke ziekte was, zo fanatiek ging haar moeder in de weer om al zijn sporen te verwijderen. Ze kocht een nieuwe verjaarskalender, zodat ze zijn naam nooit meer tegenkwam in september. Het beeldje dat hij haar voor haar verjaardag had gegeven, belandde in de vuilnisbak, een recept van gehaktbrood kwam tussen het oud papier terecht. Alle sporen van Olaf moesten worden vernietigd. Nooit meer Olaf...

Twee jaar daarna stak haar moeder onverwacht over, een eind naast het zebrapad. De automobilist kon haar niet meer ontwijken. Ze was er ineens, en niet op de daarvoor bestemde plek. Niemand begreep hoe dat mogelijk was. Haar moeder hechtte aan regels. Nooit door het rode licht, papier in de prullenbak, oversteken op het zebrapad. De enige keer dat ze zondigde, werd haar fataal.

Zita draait zich op haar zij en sluit haar ogen. 'Een rechtschapen vrouw,' werd ze genoemd door de presidente van de vrouwenvereniging, waarvan ze jarenlang lid was.

Rechtschapen... Zou de presidente dat ook hebben gezegd als ze alles wist? Zou iemand haar geloven als ze het had verteld? Ze had het nooit verteld. Het was haar geheim gebleven. In een hoekje van haar hart had ze het meegezeuld. Hoe komt het dat het de laatste tijd steeds zwaarder lijkt te worden?

Yes, yes, yes! Ik ga met m'n broertje Floris in een flat wonen! Papa en mama zijn om! Ik word volwassen!

11

HET HUIS IS STILLER DAN OOIT, NU DE SCHOOLVAKANTIES VOORBIJ ZIJN en niets meer is zoals het was. Annabel weet zich geen raad met de dag die voor haar ligt.

Floris zal vanavond niet meer thuiskomen nu hij in Zwartburg woont. Jamina heeft aangekondigd uit school naar Finn te gaan. Kenneth komt weliswaar aan het einde van de middag nog thuis, maar dat is meestal van korte duur. Hij heeft het druk met z'n vrienden. Bovendien lijkt er iets in hem veranderd. Hij is niet langer de vrolijke Kenneth die naar Afghanistan vertrok. Volgens Olaf is hij gewoon meer volwassen geworden.

Volgende week gaat ook Kenneth aan de studie. Met zijn keuze voor bestuurskunde lijkt juist hij in de sporen van Olaf te treden. Wellicht lijkt hij meer op hem dan Olaf zelf denkt.

In ieder geval voelt ze zich buitengesloten. Niemand lijkt haar langer nodig te hebben in dit gezin. Iedereen gaat zijn eigen gang en de enige vriendin die ze heeft, zondert zich al net zo af. Zita zou het niet eens begrijpen als ze zou aangeven dat ze zich ongelukkig voelt. Hoe kan zij zich nou ongelukkig voelen? Zij heeft Olaf toch? Zij heeft toch gezonde kinderen die zich prima in het leven weten te redden? Kenneth is weer terug uit Afghanistan. Wat wil ze nog meer? Ze heeft toch een prachtig leven? Zij kan gaan en staan waar ze wil.

Zita heeft gelijk. Ze heeft het allemaal en desondanks voelt ze zo'n leegte dat ze het er benauwd van krijgt. Volgende week begint het kerkenwerk weer. Die gedachte lucht haar enigszins op, maar nog steeds ligt deze dag met veel te veel uren voor haar.

Zou Zita dat gevoel niet hebben, nu zowel Kelly als Tirza het huis uit zijn? Zelf had ze er gemengde gevoelens over gehad toen ze van het voornemen van Floris en Tirza hoorde. Natuurlijk waren ze met elkaar opgegroeid en hadden ze elkaar al die jaren bijna als broer en zus beschouwd. Ze hoort nog dat kleine Florisje van weleer vertellen dat hij drie zusjes en een broer had. Inmiddels was dat vertederende mannetje wel tot een man opgegroeid. Was het dan mogelijk om elkaar zo te blijven zien en gingen fysieke factoren dan geen rol spelen? Bovendien heeft Tirza een groot probleem. Leggen ze dat nu niet op de schouders van Floris?

Elk argument had Floris ontzenuwd. 'Jullie moeten me vertrouwen,' had hij uiteindelijk gezegd. 'Ik ken Tirza's problemen heel goed. Ik ken mezelf heel goed. We hebben er samen over gepraat. Tirza en ik zijn vertrouwd met elkaar, als broer en zus. Meer is er tussen ons niet.'

Zita had aangevoerd dat ze bang was dat Tirza dan helemaal niets meer zou eten. Ze hadden samen zoveel redenen aangedragen waarom het geen goede keuze was. Eigenlijk was Annabel heel trots geweest op de rustige manier waarop Floris alles weerlegde. Nooit eerder had ze hem zoveel volwassenheid uit zien stralen.

Met z'n allen hadden ze geholpen met de verhuizing. Wijnand, Zita, Olaf en zij. Tirza had haar deel van de flat in vrolijke kleuren geschilderd. De kant van Floris was veel rustiger. Gezamenlijk maakten ze gebruik van de ruime huiskamer die een mix van de gezamenlijke smaak weergaf. Lichte wanden, maar kleurrijke gordijnen. Een lichte leren bank die Floris van z'n studiegenoot had overgenomen met rode en oranje kussens van Tirza. Tijdens die dagen was Annabel ervan overtuigd geraakt dat ze het daar samen wel zouden redden.

Het verbaast haar dat ze Floris zo mist. Hij was haar rustigste kind. Ze maakte zich wel eens zorgen over hem. Floris was vaak zo alleen. De anderen speelden met elkaar, maar hij viel meestal buiten de boot. Wonderbaarlijk hoe nu die vriendschap tussen Tirza en hem zich ontwikkeld had.

Als de blik van Annabel naar buiten dwaalt, ontdekt ze de buurvrouw die in een fraaie villa even verderop woont. Geduldig staat ze bij het grasveld te wachten tot haar twee cockerspaniels hun behoefte hebben gedaan. Ze zwaait, rent dan naar de gang en opent de voordeur. 'Gonda!' haar stem galmt over straat.

De buurvrouw staat stil.

'Heb je het vanmorgen erg druk?' wil ze weten.

Gonda haalt haar schouders op. 'Wat is druk. Vanmiddag pas ik op de kleinkinderen maar vanmorgen kan ik me net zo druk maken als ik zelf wil.'

'Kom je straks bij mij een kopje koffie drinken?'

'Bij jou?' Gonda aarzelt even maar stemt dan toe. 'Lijkt me leuk. Wat denk je van een uur of tien?'

Tevreden sluit Annabel de deur.

'Haast je nu naar de Grote Kerk in het centrum van de stad en bezichtig die kerk. Na afloop kun je onderstaande vragen beantwoorden. Bij de uitgang vind je het antwoord op de vraag wat je volgende bestemming is.'

Tirza leest de vraag hardop voor en rent vervolgens met de groep waarvan ze deel uitmaakt, de winkelstraat door. Het studentenleven begint in Zwartburg met een algemene introductieweek voor hbo-studenten om kennis te maken met de stad. Ze heeft zich er direct voor aangemeld, ondanks de waarschuwing van Floris dat hij dat helemaal niets voor haar vindt. Over haar schouder bungelt de tas met pennen, informatiefolders en goodies van uiteenlopende organisaties en instellingen. Floris heeft ongelijk. Ze voelt zich fantastisch tussen haar medestudenten die gretig gebruikmaken van haar kennis van Zwartburg. De dag is begonnen met het bezoek aan een informatiemarkt, daarna hebben ze met z'n allen hun meegebrachte lunchpakket in een park verorberd. Ze had niet veel gegeten, wel veel water gedronken. Uiteraard was dat opgevallen, maar ze had lastige vragen gepareerd met de opmerking dat ze last van haar maag had.

Het leverde haar een stille bewondering van haar zes medestudenten op, die het bepaald groots vonden dat ze zich desondanks toch zo inzette.

De hele groep draagt een oranje shirt met het logo van de kunstacademie en in grote letters hun voornamen. Aan de kleur is zichtbaar
wie tot welke groep behoort. Zij hoort bij Anja, bij Elke, bij Harald,
Jitske, Nanette en Daan. Ze hoort erbij!
Fanatiek heeft ze zich op de opdrachten gestort. De groep die het
snelste is, heeft gewonnen. Zij rent het hardst van allemaal.
Onvermoeibaar is ze steeds op weg naar de volgende opdracht. Ze
zullen allemaal blij met haar zijn. Ze zal ze allemaal laten zien hoe
goed ze is.

Meedogenloos dreunen de bassen over het sportveld waar de 'first-
day-afterparty' wordt georganiseerd. Kleurige lampen zoeken de
gezichten van de bezoekers, tasten de dansende lichamen af.
Tirza danst met schokkerige bewegingen op de maat van de muziek.
Haar handen wapperen of klappen mee. Ze lacht, ze zingt, ze
schreeuwt. Haar ogen zoeken steeds weer de blik van Daan. Hij heeft
bruine ogen en als hun blikken in elkaar haken, lacht hij. Misschien
vindt hij haar leuk. Ze denkt eigenlijk wel dat hij haar leuk vindt. De
hele dag was hij al zo aardig tegen haar geweest en hij had heel veel
van haar willen weten. Haar gedachten cirkelen om Daan, ze flitsen
met de lampen mee. Ze voelt zich dronken, al heeft ze geen druppel
alcohol gedronken.
Ze is vrij, ze voelt zich volwassen, gelukkig. Ze voelt zich goed. Het
leven is fantastisch.

De volgende dag blijft ze in bed liggen, moe van het dansen, van de
inspanningen de middag daarvoor. Het is niet eerlijk dat haar hoofd
klopt alsof ze een hele fles wijn heeft leeggedronken. Ze drinkt
nooit.
'Zal ik een kopje thee voor je halen?' Floris toont zich bezorgd. Hij
gaat op de rand van haar bed zitten als hij even later een kopje op
haar nachtkastje heeft neergezet. 'Zal ik vandaag thuisblijven?'
'Ik red me wel,' zegt ze. 'Je hoeft je echt geen zorgen te maken.

Morgen voel ik me weer beter en dan wil ik er ook graag weer bij zijn.'

'Je moeder belde net om te informeren of het wel goed met je ging,' zegt hij.

'Wat heb je gezegd?'

'Dat je naar de introductieweek was en dat je gisteren een geweldige dag had.' Hij grijnst.

Zij ook.

Daan trekt ineens veel meer met Nanette op. Zijn bruine ogen zoeken niet langer de hare. Ze ziet hoe hij zijn hand in de nek van Nanette legt en betrapt hem als hij haar een kushand toewerpt. Onzekerheid sluipt binnen. Heeft ze het verkeerd gezien? Vond hij haar die eerste dag helemaal niet leuk? Lijkt het zo, of reageren de anderen ook niet echt enthousiast op haar terugkomst? Heeft ze iets verkeerd gedaan, iemand beledigd, iets raars gezegd? Ze loopt niet langer voorop vandaag, ze loopt er maar wat bij.

'Voel je je vandaag weer wat beter?' wil Harald weten en hij legt heel even zijn hand op haar arm. Hij heeft vreemde lichtblauwe ogen onder zware, donkere wenkbrauwen. 'Misschien moet je het nog maar even rustig aan doen. Je bent ook maar een sprietje en je loopt het hardst van allemaal.' Zijn tanden zijn een beetje geel, maar hij is wel aardig. 'Ze vertonen straks een film,' zegt hij. 'Heb je zin om mee te gaan? Ik geloof dat de anderen niet veel zin hebben.'

Zij heeft eigenlijk ook niet zo veel zin. Ze stemt toch toe.

Aan het einde van de dag hebben ze met elkaar gegeten aan lange tafels die op het gras van het park staan opgesteld. Eenden en ganzen hebben al snel in de gaten dat er iets te halen valt. Steeds brutaler worden de ganzen. Tirza werpt stukjes stokbrood in hun richting. Er ligt wat tomatensalade op haar bord en een stukje gerookte kip.

Je bent zeker nog niet helemaal in orde, denkt Harald. Tijdens de film had ze steeds zijn gespierde lichaam tegen het hare gevoeld. Zijn lichte ogen hadden haar gezicht gestreeld. 'Je eet nog zo weinig,' zegt hij nu.

'Ik ben normaal al geen grote eter, maar momenteel kan mijn maag helemaal niet veel verdragen,' verklaart ze.

Na het diner wordt er een praisedienst gehouden in een kerk in het centrum. Harald heeft haar gevraagd om mee te gaan. De andere leden van hun groep hadden vriendelijk bedankt. Zij had toegestemd.

'Ben jij eigenlijk christelijk?' wil Harald nu weten terwijl hij een hap stokbrood met kruidenboter wegkauwt.

'Waarom vraag je dat?'

'Omdat jij de enige in onze groep bent die wel met me mee wil.'

Ze knikt. 'Ik ben christelijk.'

'Echt christelijk?' Die lichte ogen kijken haar weer onderzoekend aan, alsof ze dwars door haar heen willen kijken.

'Au!' roept ze uit als een van de ganzen in haar vingers pikt.

'Eigen schuld,' merkt Harald al kauwend op terwijl hij haar afwachtend aan blijft kijken.

'Wat bedoel je nou weer met echt christelijk?' Ze gooit het laatste stuk brood een eind van zich af in de hoop zo de ganzen kwijt te raken die zich steeds meer aan haar opdringen.

'Ik bedoel of je een meelevend christen bent, of je werkelijk uit de Heer wilt leven, dat soort dingen.' Met zijn wijsvinger probeert hij een stukje brood uit zijn kies te peuteren.

Het ergert haar ineens, de manier waarop hij naar haar kijkt, de vragen die hij stelt, het gepeuter in zijn mond.

'Ik ga elke zondag keurig naar de kerk,' zegt ze kort.

'Hoor je nou zelf hoe je dat zegt?' Hij is klaar met peuteren en begint aan de hoop salade die nog op z'n bord ligt. De ganzen zoeken hun heil elders. 'Het antwoord zou ook gewoon 'nee' kunnen luiden.'

'Ik geloof waarachtig wel, maar voor mij is dat iets anders dan naar de kerk gaan. Ik ga mee met mijn ouders omdat ze dat op prijs stellen, maar ik kan je vertellen dat je je mateloos eenzaam kunt voelen tussen al die andere gelovigen.'

'Je bent dus een teleurgesteld mens,' concludeert hij.

'Ik voel me er niet thuis, dat is iets anders.' Ze prikt een heel klein stukje kip aan haar vork maar het blijft ergens tussen haar mond en haar bord hangen. 'Zullen we er nu over ophouden? Ik ga straks met je mee naar die praisedienst en verder ben ik je geen verantwoording schuldig, lijkt me.'

'Je moet niet denken dat ik me ergens mee wil bemoeien. Ik wil je juist verder helpen. Als je ergens mee zit, is het toch goed om er met iemand over te praten?'

'Ik zit nergens mee, dat is het hem nu juist. Wil je nou nog dat ik met je meega naar die dienst?'

'Natuurlijk, natuurlijk.' Hij neemt een enorme hap en tot haar opluchting zwijgt hij eindelijk. Misschien moet ze hem de komende dagen toch maar zien kwijt te raken. Haar blik dwaalt over het terrein, langs de andere tafels. 'Groep oranje' zit een eind verderop bij elkaar. Voor Harald en haar was daar geen plek meer. Ze ziet hoe Daan dicht tegen Nanette is gekropen en af en toe met zijn hand over haar rug streelt. Met moeite weet ze het stukje kip naar binnen te werken. Ze kauwt eindeloos, drinkt nog wat water. 'Ik denk dat ik even naar het toilet moet,' geeft ze aan.

'Dan haal ik nog wat te eten voor mezelf. We zien elkaar zo weer.' Opgelucht hangt ze even later boven de toiletpot en braakt alle frustratie eruit.

Sinds een week is Zita kinderloos, zoals ze het zelf spottend noemt. Ze wordt niet verwelkomd door etensgeuren, niet door luide muziek op de radio. Het huis is stil. Geen opgewekte stem van Tirza die informeert hoe het op haar werk was. Onvoorstelbaar hoe ze dat mist. Ze mist zelfs het gekrakeel van Kelly en Tirza waar ze anders zo'n hekel aan had.

Ze mist de verhalen van Kelly over haar stage in het ziekenhuis of haar belevenissen op school.

Het is waar dat je pas ziet wat je had als je het moet missen.

Ze moet eraan wennen om het schap met vleesvervangers over te slaan en gewoon twee biefstukjes te halen. Waaraan ze nog meer moet wennen is het feit dat ze nu alleen met Wijnand aan tafel zit en dat ze elkaar aankijken zonder te weten wat ze moeten zeggen. 'Hoe zou Tirza zich in Zwartburg redden?' had ze zich de eerste dag afgevraagd.

'Ik denk dat ze het beter doet dan wij nu voor mogelijk houden,' was zijn onverstoorbare reactie geweest, en dat was niet wat ze wilde horen. Wat verwachtte ze dan wel van hem? Moest hij met haar meedenken? Haar zorgen delen? Zo was hij nooit geweest. Anderen dichtten hem die vermogens toe. Thuis liet hij niet merken dat hij ermee behept was.

Wijnand was geen prater en tijdens deze week had ze daar meer moeite mee dan ooit. Kwam het daardoor dat ze zich steeds meer in het verleden ging verliezen?

Mooie herinneringen werden opgepoetst, donkere herinneringen werden steeds zwarter. Alsof ze zichzelf wilde pijnigen. Alsof ze nog niet genoeg had doorstaan.

Kelly had deze week één keer gebeld. Tirza belde iedere avond. 'Ik mis jullie best,' had ze die eerste avond gezegd. Vreemd, dat ze dat van Tirza eigenlijk helemaal niet had verwacht.

De stilte went niet. Ook niet nu deze eerste week bijna ten einde is. Zou Wijnand dat niet zo voelen? Ze vraagt het zich af, terwijl ze samen zwijgend zitten te eten en de stilte steeds zwaarder lijkt te drukken.

Hij lijkt er geen last van te hebben. Ze merkt op hoe hij met smaak eet. 'Vind jij het eigenlijk niet raar zo?' wil ze toch van hem weten.

'Raar? Wat zou ik raar moeten vinden? Je hebt trouwens heerlijk gekookt. Hoe lang is het wel niet geleden dat we nasi hebben gegeten met saté erbij? Er is niemand die dat zo lekker klaar kan maken als jij.'

'Tirza beweerde dat ze er niet eens aan wilde beginnen.' Ze glimlacht. 'Waarschijnlijk vond ze het gewoon te calorierijk.'

Wijnand snijdt een stukje kipsaté.

'Je hebt m'n vraag nog niet beantwoord,' zegt ze scherp.

'Nou ja, ik vind het eigenlijk helemaal niet zo raar. Op het moment dat kinderen geboren worden, weet je dat het de bedoeling is dat ze op een dag op eigen benen gaan staan.'

'Ik was voorbereid op Kelly, maar ik had niet verwacht dat Tirza ook al zo snel...'

'Daar hebben we het deze week al vaker over gehad,' valt hij haar in de rede terwijl hij het stukje vlees in z'n mond steekt.

'Hoe komt het toch dat vaders schijnbaar moeiteloos afstand doen van hun kinderen?'

Omstandig kauwt hij verder, terwijl hij haar onderzoekend opneemt. 'Ik geloof niet dat er sprake is van afstand doen. Het is meer een heel natuurlijk proces en ja, bij de een verloopt dat wat verrassender dan bij de ander.'

'Ik vind het raar dat jij je niet bezorgd maakt om Tirza.'

'Wie zegt dat ik me niet bezorgd maak? Ik probeer vertrouwen in haar te hebben en ik tracht dat uit te dragen. Soms denk ik dat het typisch vrouwelijk is om alles te dramatiseren.'

Ze heeft een hekel aan de manier waarop hij dat woord langzaam uitspreekt, alsof hij haar daarmee extra wil kleineren.

'Ze belt toch trouw iedere avond?'

'Je lijkt op Olaf, die ook al vond dat hij niet over Kenneth hoefde te praten toen hij in Afghanistan zat,' verwijt ze hem. Waarom windt ze zich nu zo op?

'Dat is geen vergelijking. Bovendien weet je nu ook dat alle zorgen voor niets zijn geweest. Ik vind dat jullie het leven veel moeilijker maken dan het is.'

'De manier waarop je dat zegt... Hoor je hoe denigrerend dat klinkt?'

Zijn blik vertelt haar dat hij haar niet begrijpt. 'Jij loopt altijd voor je verantwoordelijkheden weg!'

Hij geeft geen antwoord en ze weet dat ze woedend zal worden, dat elk woord dat ze zegt haar meer zal opwinden, dat ze dingen zal zeggen waarvan ze later spijt krijgt. Haar hart bonkt met felle, opgewonden slagen in haar borst, ze balt haar vuisten.

'Maak je niet zo druk,' hoort ze hem zacht zeggen. 'Ik weet toch allang dat ik het allemaal fout doe.'

Ze klemt haar kaken op elkaar, werpt hem een ziedende blik toe en draait zich dan om. 'Ik ga een eind wandelen.'

'Gezellig,' sneert hij, maar ze laat zich niet uit de tent lokken. Zonder nog iets te zeggen loopt ze weg, Wijnand achterlatend met twee borden nasi.

Buiten is het fris en ze verwijt zichzelf dat ze geen jas aan heeft getrokken, maar ze weigert terug te gaan. Langzaam komt haar jagende ademhaling tot rust, ontspannen haar vuisten, en wordt haar geest weer helder. Dit keer slaat ze zo snel mogelijk af om het huis van Annabel en Olaf te mijden. Het is jammer dat er altijd honden moeten worden uitgelaten. In de verte ontwaart ze Gonda Bremer die in een van de mooiste huizen van de buurt woont, met haar twee cockerspaniels. Er is geen uitweg. Gonda steekt haar hand op en glimlacht vriendelijk als ze dichterbij komt. 'Ook aan de wandel?'

'Het is goed voor de lijn,' merkt ze vriendelijk op en doet een poging om verder te lopen.

'Je zou een hond aan moeten schaffen, dan heb je elke dag een reden om een flinke wandeling te maken.'

'Ik ben overdag zo weinig thuis.' Het zou onbeschoft zijn om door te lopen. Ze glimlacht zuurzoet.

De honden trekken hijgend aan de lijn. Zita hoopt dat Gonda door zal lopen, maar ze roept ze tot de orde. Gehoorzaam zetten ze zich aan haar voeten. Onwillekeurig schiet Zita in de lach.

'Je hebt gelijk,' zegt Gonda. 'Misschien zou je iets met Annabel kunnen regelen. Die is natuurlijk overdag wel thuis.'

'Ik denk dat Annabel daar niet op zit te wachten.'

'Vanmorgen gaf ze aan dat een hond haar nog wel leuk zou lijken nu de kinderen zo langzamerhand uit huis vertrekken. Ze vroeg me namelijk voor een kopje koffie, vandaar dat ik het weet. Klopt het dat jouw dochters nu ook op kamers zijn?'

Het verrast Zita te horen dat Annabel iemand gevraagd heeft. Ze houdt er niet van, heeft ze altijd beweerd en buren moest je op gepaste afstand weten te houden.

'Kelly woont in een flat in Amsterdam, vlak bij het ziekenhuis waar ze stage loopt, en Tirza deelt een flat met Floris in Zwartburg. Je zult het ongetwijfeld al van Annabel gehoord hebben.'

Ze zou er heel wat voor over hebben om door te kunnen lopen.

'Ik zei al tegen Annabel dat het vroeger toch ondenkbaar was dat een jonge man en een jonge vrouw samen in een flat zouden wonen zonder gehuwd te zijn. Ze zouden wel kunnen beweren dat ze het bed niet deelden, maar niemand die daar geloof aan zou hechten.'

'Wat dat betreft is er veel ten goede veranderd.'

'Het zal voor jou ook een prettige gedachte zijn dat Floris haar een beetje in de gaten kan houden.'

Haar hartslag versnelt zich.

'Ik denk dat Tirza zichzelf wel zal redden.'

'Ja, natuurlijk. Tirza is een echte doorzetter. Als ik haar hier zag hardlopen dan had ik elke keer weer bewondering voor haar. Aan de andere kant maakte ik me ook bezorgd. Het is zo'n tenger meiske. Ik stel me zo voor dat jullie die zorgen om Tirza ook hebben. Annabel vertelde tenminste...'

Bloed gonst in haar slapen. Annabel hoort niet over Tirza te praten. Tussen hen was er altijd vertrouwelijkheid geweest. Ze deelden geheimen en wisten dat die niet verder kwamen. Hoe heeft Annabel het in haar hoofd kunnen halen om met Gonda over Tirza te praten en met wie heeft ze nog meer gepraat?

'Ik wil nu graag verder want als ik zo stil blijf staan, is het toch wel koud,' zegt ze met onderdrukte woede in haar stem.

'Misschien is het leuk om zo af en toe eens wat te organiseren met de vrouwen in de buurt,' houdt Gonda aan.

'Ik werk overdag.'

'Je bent de enige niet. We zouden het op zaterdagmorgen of op een avond kunnen doen. Ik denk dat Annabel daar ook wel voor voelt. In zo'n buurt leef je al gauw als vreemden naast elkaar.'

'Voor mij hoeft het niet,' zegt Zita.

'Ik zal het eens met Annabel overleggen. Je hoort er vast nog van.'

Gonda lijkt haar niet te hebben gehoord. 'Sterkte met je dochter!'

Het lijkt haar evenmin op te vallen dat Zita geen antwoord geeft.

Zit ik weer met een Harald opgescheept! En die Harald schranst gewoon misselijkmakend. Ik zou me veel blijer willen voelen. Deze dagen is het me gelukt om maar héél weinig calorieën binnen te krijgen. Toch voel ik me helemaal niet blij. Integendeel. Ik voel me afgewezen, in een hoekje gezet, weer niet goed genoeg. Ik vond Daan leuk en ik dacht dat hij me ook leuk vond. Nu is hij ineens met Nanette. Eigenlijk hoor ik er helemaal niet meer bij. Alleen bij Harald, maar IK WIL HELEMAAL NIET BIJ HARALD HOREN!!!

12

DE BUS STOPT ONDER DE POLDERTOREN VAN EMELWERTH EN OPENT
zuchtend de deuren. Tirza steekt haar hand op naar de chauffeur,
voor ze achter een groep scholieren de nazomerzon instapt.
Ze blijft even staan, terwijl de anderen weglopen en de bus weer
optrekt. Alles in Emelwerth is hetzelfde gebleven en op de een of
andere manier verwondert haar dat. Een week geleden ging ze met
Floris naar Zwartburg, maar die zeven dagen lijken zeven weken. Op
de laatste dag van de introductieweek heeft ze besloten verstek te
laten gaan. Ze huivert en trekt de mouwen van haar shirt verder naar
beneden. Rondom haar lopen mensen in zomerjurken en korte
broeken om nog zoveel mogelijk zon te vangen voor de zomer defi-
nitief ten einde is. Het licht op deze augustusdag luidt het najaar al
in, het groen van de bomen is op leeftijd en zal over een poosje weer
gaan verkleuren. Tirza strijkt over haar armen alsof ze zich wil ver-
gewissen dat de haartjes die daar zijn opgedoken, wel aan ieders zicht
zijn onttrokken. Aan het begin van de week had ze die beharing ontdekt, ze wist dat het kon gebeuren, maar toch had het haar geschokt.
Het bestempelde haar als een echte anorexiapatiënt. Ontkennen leek
nu onmogelijk.

Wellicht lag het aan die ontdekking dat ze naar huis ging verlangen.
's Avonds stelde ze zich voor hoe haar ouders samen aan tafel zaten,
terwijl zij zich staande probeerde te houden tussen honderden eer-
stejaars studenten.

Elke avond was er een 'afterparty'. Ze had luidkeels meegezongen
met de muziek, stond vrijwel de hele avond op de dansvloer, maar
haar vrolijkheid was gespeeld. In deze week had de twijfel voluit toegeslagen. Ze ging het hier niet redden. En toch moest ze het redden.
Harald was haar vaste begeleider geworden, of ze dat nu leuk vond
of niet. Gisteravond had hij plotseling een poging gedaan om haar te
kussen. Met een grapje had ze zich aan zijn greep ontworsteld om

kort daarna het feest te verlaten. Tegenover Floris had ze gezwegen. Veel moeite had haar dat niet gekost. Hij zat het grootste deel van de avond achter de computer op zijn kamer. De flat was veel te stil, en toen ze naar bed ging wist ze zeker dat ze de volgende morgen naar huis zou gaan.

De zon streelt haar, maar ze voelt de warmte niet. Met een zucht slaat ze de weekendtas over haar schouder en begint aan de weg die haar naar de Maretakstraat moet brengen.

De opmerking van Gonda heeft Zita de rest van de week beziggehouden. 'Annabel vertelde tenminste...' Ze stelde zich voor hoe Annabel en Gonda samen in de fraaie kamer hadden gezeten waar zijzelf zo vaak zat. Annabel en zij waren vriendinnen. Voor zover ze wist, nam Annabel nooit iemand anders in vertrouwen. Ze had maar één vriendin en dat was zij. Zo was het ook andersom. Zita had nooit behoefte aan meer vriendinnen gehad. Met Annabel kon ze alles delen. Ze had ook geen tijd voor meer.

Het is onvoorstelbaar dat Annabel nu vertrouwelijke mededelingen met Gonda heeft uitgewisseld. Juist Gonda, met haar twee honden. Gonda die meende dat Annabel wel op andermans hond zou willen passen. Hoe komt ze erbij? Annabel heeft een hekel aan elk huisdier vanwege haren, veren of ander ongemak.

Straks kwam het nog zover dat Annabel zich als hondenoppas van Gonda opwierp.

Tegenover Wijnand heeft ze er met geen woord over gerept. Wijnand zou haar opnieuw van jaloezie betichten en daar is geen sprake van. Annabel behoort gewoon niet met Gonda over haar zaken te praten. Daar draait het uiteindelijk om. Natuurlijk staat het haar vrij om met anderen aan te pappen, maar Tirza moet daarbuiten bijven. Tijdens de nachten die ze wakker heeft gelegen, is ze tot de conclusie gekomen dat er gepraat moet worden. Daarom fietst ze op haar vrije vrijdagmiddag niet rechtstreeks naar huis, maar buigt ze af naar Maretakstraat achtennegentig. Onderweg repeteert ze haar verhaal. Ze moet zich niet door verontwaardiging mee laten slepen, maar het heel rustig uitleggen. Beheersing, alles draait nu om beheersing.

'Ik kwam van de week Gonda Bremer tegen...' Misschien moet ze niet direct met de deur in huis vallen. Ze kunnen even over koetjes en kalfjes praten voor ze de koe daadwerkelijk bij de horens vat. Ze is nu vlak bij het fraaie huis van het echtpaar Meyerink. Vervelend dat ze nu toch nerveus dreigt te worden. Ze moet controle over de situatie blijven houden.

Nog eens repeteert ze het begin van haar verhaal: 'Gonda Bremer vertelde me dat ze deze week bij jou op de koffie is geweest. Ik kwam haar namelijk tegen toen ze met de honden aan het wandelen was. Uiteraard heb ik er niets op tegen...'

Annabel steekt haar hand op als ze met haar fiets hun oprit indraait. Vanzelfsprekend neemt ze de achterdeur. 'Gezellig,' begroet Annabel haar in de keuken. 'Ik heb er vanmorgen net aan gedacht dat het daar op vrijdagmiddag tegenwoordig nooit meer van komt. Ik neem aan dat je wel zin in koffie hebt? Hoe bevalt het jou in je lege nest?'

Normaal zou ze met een kwinkslag reageren, maar nu zoekt ze naar woorden. Moet ze toch direct met de deur in huis vallen? Misschien toch maar eerst wachten tot ze de koffie voor zich heeft staan?'

Gelukkig ratelt Annabel verder. 'Ik moet er echt aan wennen dat Floris in Zwartburg zit, en dat terwijl ik Kenneth en Jamina nog thuis heb. Officieel in ieder geval, want sinds ze verkering met Finn heeft zit Jamina daar wel erg vaak, en Kenneth is niet zo'n prater. Het lijkt wel of hij een stuk zwijgzamer is geworden sinds Afghanistan.'

De woorden glijden langs haar heen als druppels van een blad, maar Annabel lijkt het niet op te merken. 'Voor jou moet het nog erger zijn. Je twee dochters zijn tegelijkertijd het huis uitgegaan. Dat had jij toch ook niet verwacht? Heb jij het er niet moeilijk mee?'

Het koffiepadapparaat zorgt in korte tijd voor twee kopjes schuimige koffie. Annabel zet ze op een dienblad. 'Ik ga er maar vanuit dat je er niets bij hoeft?'

Ze loopt voor Zita uit naar de kamer. Het linnen jasje dat ze non-chalant op een spijkerbroek draagt is vanachter wat gekreukt, maar blijft desondanks stijlvol. Annabel straalt dat op elk moment van de dag uit. Terwijl ze tegenover Annabel op het puntje van de sofa gaat zitten, verwondert het haar ineens dat hun vriendschap zolang is blijven bestaan. Wat vanzelfsprekend was, lijkt het ineens niet meer, en ze weet dat het aan haarzelf ligt. Zij is de afgelopen tijd met ande-re ogen naar Annabel en haar gezin gaan kijken. Het verleden heeft zich in haar leven weer een plaats op de voorgrond weten te verwer-ven. Annabel is dezelfde gebleven. 'Ik vind het echt fijn dat je weer eens zomaar aanloopt,' hoort ze haar nu zeggen. 'Ik moet je beken-nen dat ik erg veel moeite met de veranderingen van de laatste tijd heb. Olaf begrijpt dat niet, het is voor hem geen onderwerp om over te praten. Voor een man verandert er in zo'n geval veel minder. Of geldt dat voor Wijnand niet? Wijnand is zo'n heerlijk gevoelsmens. Soms zou ik met je willen ruilen, Zita. Met Wijnand kun je praten, hij geeft je alle vrijheid om je te ontwikkelen. Als ik je 's morgens langs zie fietsen, kan ik wel eens jaloers zijn. Jij hebt je eigen leven. Heb jij er daardoor ook minder moeite mee dat je dochters niet lan-ger thuis wonen?'

Annabel kijkt haar belangstellend aan, zich totaal niet bewust van de gevoelens die Zita hierheen dreven. Hoe kan ze nu over Gonda beginnen?

'Als Wijnand en ik tijdens het eten samen aan tafel zitten, dringt de nieuwe situatie zich heel erg aan me op...' begint ze. 'We zitten elkaar aan te kijken en het lijkt of we elkaar niets meer te zeggen hebben.' De gemeenschappelijkheid van hun gevoelens brengt hen weer tot elkaar. Voor het eerst sinds tijden is de vertrouwelijkheid terug.

Anderhalf uur later opent Zita de schuttingdeur en schuift haar fiets daar tussendoor. Het is later geworden dan ze wilde, de lasagneschotel, die ze voor vandaag op het programma had staan, moet maar een dagje wachten. Onderweg naar huis heeft ze bedacht dat er in de vrieskist nog genoeg restjes staan die na te zijn ontdooid in de magnetron, gegeten kunnen worden. Wijnand moppert dan terecht dat er smaakverlies optreedt, maar voor een keer moet hij het maar accepteren. Tot haar verbazing vindt ze de achterdeur van het slot. Ze weet zeker dat ze de auto van Wijnand niet gezien heeft. Vanuit de kamer klinkt muziek, etensgeuren drijven haar tegemoet en in de keuken ontdekt ze Tirza.

'Wat doe jij hier?'

'Echt een warm welkom kan ik dat niet noemen.' Tirza snijdt een ui en draait zich met tranende ogen om. Op het aanrecht liggen paprika's, champignons, tomaten en bleekselderij.

'Ik ben nogal verrast.' Zita trekt haar jas uit en hangt die in de gang aan de kapstok. 'Volgens mij stonden er voor vandaag ook nog allemaal activiteiten op stapel en zou je dit weekend in Zwartburg blijven.'

'Ik miste jullie.' Tirza snuit haar neus en veegt met haar zakdoek haar tranen weg.

Het verwondert en ontroert Zita tegelijkertijd. 'Het is in ieder geval heerlijk om thuis te komen en te ontdekken dat er al hard aan het eten is gewerkt. Ik heb jou ook gemist. Vertel eens hoe je week was. Heb je al kennisgemaakt met je klasgenoten? Wat waren er allemaal voor activiteiten en hoe ging dat met het eten?' Dat laatste had ze eigenlijk niet willen vragen maar het ontglipt haar gewoontegetrouw. Ze registreert een moment de afweer bij Tirza, maar ze heeft zich snel in bedwang. 'Ik heb met een aantal klasgenoten kennis gemaakt omdat ze bij mij in de groep zaten. We moesten allerlei opdrachten doen en ik ben met een jongen naar de film geweest en later naar een praisedienst. Het eten was altijd supergezellig. Dan zat je weer bij de een, dan weer bij de ander. We hebben zelfs gedineerd met het bestuur van de gemeente Zwartburg. Het was echt supercool.'

Ze praat nerveus, te snel, alsof ze bang is dat Zita tussendoor moeilijke vragen zal stellen. Zita vraagt niets. Ze wil dit moment vasthouden, dit moment waarop het even lijkt alsof alles goed is.

De schilderijen op haar kamer staren haar aan en stellen zwijgend vragen. 'Heb je nu wat je wilt?' 'Ben je wie je wilde zijn?' 'Gaat het echt zo goed als je wilt doen voorkomen?'
Tijdens het eten was Tirza door blijven gaan met het vertellen van enthousiaste verhalen. Beeldend had ze weergegeven wat er tijdens het eten op tafel stond en wat zij tot zich genomen had.
Haar vader had gezegd dat hij het gezellig vond dat ze er was en hij had haar gecomplimenteerd met het gerecht dat ze haar ouders had voorgezet. Het was haar gelukt om er zelf zo min mogelijk van te eten. Daarna was het niemand opgevallen dat ze even naar de badkamer was geweest.
Ze staart naar het schilderij zonder gezicht. Ze voelt de angst die eruit spreekt, haar eigen angst.
Heeft ze nu wat ze wil? Is ze sterk genoeg om bij het andere schilderij uit te komen? Ze probeert de spiegel te negeren maar haar hoofd neemt de stem over. 'Neem een ander in de maling,' zegt die stem. 'Je komt nooit bij je droom uit als je zo doorgaat.' Ze staat op. Ze probeert die stem te negeren. Ze kan het wel. Vrijwel altijd is ze in staat haar chronische hongergevoel te negeren. Zij is sterker dan eten. Zij is sterker dan haar ouders, dan haar klasgenoten. Zij wel. Waarom voelt ze zich nu niet beter?
Hoe komt het dat ze gisteren zo naar huis verlangde? Nu ze hier is, lijkt het haar heerlijk om in de flat bij Floris te zijn. Floris vraagt niet of ze wel genoeg eet, hij neemt haar eetgedrag niet met argusogen in zich op. Bij Floris kan ze zichzelf zijn. 'Vind je dat shirtje niet wat wijd?' had haar moeder vlak voor het eten opgemerkt. Vervolgens had ze willen weten of ze het 's avonds niet te laat maakte, en als haar moeder eenmaal begon dan was er geen houden meer aan. 'Je moet het niet te gek maken. Wat is dat trouwens voor een jongen met wie

je naar de praisedienst bent geweest. Een vriend? Heb jij alleen maar 'een-vrienden?' Misschien zou het goed zijn als je eindelijk eens 'de' vriend tegenkomt. Je zou wat meer op je uiterlijk moeten letten. Je haar zit momenteel ook zo slonzig. Waarom steek je daar steeds van die haarspelden in? Het is jammer, want je hebt zulk prachtig haar.'

Zou voor haar ooit de ware komen? Zou er ooit een jongen komen die niet afhaakt na een paar keer zoenen? Waarom willen ze daarna altijd meer en is het afgelopen als ze weigert?

Wat geeft het dat je de macht over je lichaam hebt als je merkt dat niemand dat waardeert? Hoe moet ze verder?

Waarom wilde ze naar huis, terwijl ze op haar klompen kon aanvoelen hoe het hier zou gaan? Floris had haar gewaarschuwd. Hij had niet begrepen waarom ze terug wilde. 'Bevalt het je hier niet?' Het was toch goed zoals het ging? Ze had vrijheid. Floris legde haar geen strobreed in de weg. Ze aten samen, ze dronken samen koffie. Had ze er meer van verwacht?

Soms wil ze ineens gewoon zijn. Ze wil niet langer liegen en net doen alsof ze geniet van het eten. Kan ze eigenlijk nog wel anders? Liegen is een deel van haar leven geworden zoals braken een deel van haar leven is geworden. Anorexia, het heeft geen zin langer te ontkennen, maar alleen het woord al jaagt haar angst aan.

Hoe kan ze weer gewoon worden? Hoe kan ze het verval van haar tanden stoppen? De tandarts had laatst een lange preek gehouden tijdens de controle. Braken tast haar tandglazuur aan. Hij had het niet over anorexia gehad, maar zijn gezicht sprak boekdelen.

Haar haren vallen uit, haar armen vertonen juist beharing die ze niet wil, haar nagels brokkelen af. Hoe kan ze nog langer blijven ontkennen? Hoe kan ze veranderen?

'Je hebt hulp nodig,' had haar moeder een tijd geleden gezegd. 'Niet alleen van ons, maar van mensen die weten hoe je hiermee om moet gaan.'

Ze had het fel ontkend. Ze wil het nu nog ontkennen. Zij heeft nie-

mand nodig. Ze is sterk, ze is krachtig, ze voelt zich super en anorexia moet een woord blijven dat niet bij haar hoort.

Die zaterdagmiddag komt Olaf onverwacht aanlopen. 'Hé, ben jij
thuis?' reageert hij verrast als hij Tirza in de kamer ziet zitten. 'Ik
dacht dat je het weekend ook in Zwartburg wilde blijven.'
'Ik verlangde naar huis,' bekent ze.
'Eerst willen ze het huis uit en als ze dat voor elkaar hebben, willen
ze weer terug.' Wijnand legt liefkozend zijn hand tegen haar wang.
'Nou ja, beter zo dan dat ze niets meer van zich laten horen.'
'Ik heb dat nooit gehad,' verwondert Olaf zich. 'Tegenwoordig ga ik
nog met tegenzin langs mijn ouders. Het is dat Annabel altijd aandringt. Mijn ouders wilden me vroeger in een keurslijf dwingen en
daar protesteerde ik fel tegen.'
'Jij protesteerde tegen alles,' mengt Zita zich na enige aarzeling in het
gesprek.
'Dat is niet helemaal waar, Zita. Ik deed in die tijd mee met protesten
tegen kernwapens en de neutronenbom, maar dat was een bewuste
keuze.'
Zo praatte hij vroeger ook tegen haar, en af en toe komt dat toontje
terug. Op zo'n moment voelt ze zich klein, de leerling tegenover de
leraar, de mindere van Olaf. Ze bijt op haar lip terwijl hij verdergaat:
'Natuurlijk zette ik me af tegen mijn ouders en het milieu waarin ik
was opgegroeid, maar ik stond honderd procent achter de dingen
waartegen ik protesteerde. Het leek jou helemaal niet te interesseren.
Jij was met heel andere dingen bezig.'
'Met jongens zeker,' giechelt Tirza. 'Mama heeft wel eens gezegd dat
ze het met tante Annabel altijd over jongens had.'
'Ik kende eerst alleen je moeder,' hoort Zita hem zeggen en ze ziet
zijn glimlach. Zou hij nu denken aan al die dingen waar zij de laat-
ste tijd ook weer zo vaak aan denkt?
'We waren goede vrienden. Dankzij jouw moeder heb ik tante
Annabel leren kennen en daar ben ik haar nog steeds dankbaar voor.'

'Je wilt zeker wel koffie?' vraagt Zita en ze wacht zijn antwoord niet eens af. In de keuken moet ze zich aan de tafel vasthouden. Haar eigen emoties verrassen haar. Waarom haalt het verleden haar nu ineens in? Hoe komt het dat zijn woorden haar zo raken? Het is toch te gek voor woorden dat ze nu weer hoopte dat hij andere dingen zou zeggen? Ze weet toch allang dat hun relatie destijds niet gelijkwaardig was? 'We waren goede vrienden.' Voor haar was het veel meer dan dat, maar hoe kan hij dat weten als ze haar mond houdt? Hij heeft toch nooit van de gevolgen voor haar geweten?

Zita zet twee kopjes onder het padapparaat en drukt op de knop. Sputterend komt het ding tot leven.

Volgens haar moeder was er maar één oplossing. Ze had niet anders gekund dan zich erbij neerleggen en daarna had ze gevochten tegen haar gevoelens. Hoe is het mogelijk dat die nu zo opspelen? Waarom vraagt ze zich steeds vaker af hoe haar leven zou zijn verlopen als ze niet zo volgzaam was geweest? Als ze 's morgens in haast naar haar werk fietst, als ze in de tuin werkt, als ze op haar vrije zaterdag de ramen lapt. Het is of ze moe van het vechten is, en haar gedachten zich niet langer laten tegenhouden. Zou zij bij Olaf in die vrijstaande woning hebben gewoond? Had ze het dan ook nodig gevonden om zogenaamd onafhankelijk te zijn met haar baan?

Vanuit de kamer klinkt de lach van Tirza op als Olaf iets zegt. Het brengt haar terug tot de werkelijkheid. Wat heeft het voor zin om te dromen over hoe het geweest zou kunnen zijn? Dit is haar leven. Wijnand met een salaris waarmee ze zich geen al te grote uitspattingen kunnen veroorloven. Twee studerende dochters, een rijtjeshuis en een hypotheek die met behulp van haar salaris moet worden afbetaald.

Als ze de kopjes onder het apparaat vandaan haalt, ontdekt ze dat ze heeft verzuimd om er pads in te leggen. De kopjes zijn gevuld met bruin water.

De felgekleurde lichten glijden over de menigte op de dansvloer, die overspoeld worden door de elkaar snel opvolgende beats. Achter de draaitafel swingt de deejay mee, mixt de snelle dansnummers met iets rustiger muziek, waardoor het publiek even op adem kan komen.

Tirza drinkt bij de bar een slokje water uit haar flesje en kijkt naar Jamina die met Finn op de dansvloer staat. Ze was verrast geweest toen Jamina haar kwam vragen of ze zin had om zaterdagavond weer eens mee te gaan naar de plaatselijke discotheek. Hier voelt ze zich in haar element. Ze heeft het grootste deel van de avond al gedanst. Het voelt zo goed om hier weer te zijn en als ze haar flesje leeg heeft, stort ze zich opnieuw op de dansvloer.

'Maak het niet te gek,' had haar moeder haar natuurlijk weer gewaarschuwd. 'Ik weet hoe lang jij door kunt gaan maar er komt een keer een einde aan.'

Vanavond had ze niet geprotesteerd. Ze had keurig toegestemd om van het gezeur af te zijn. Ze heeft het werkelijk in de hand. Terwijl ze zich laat gaan, voelt ze zich beter dan ze zich in lange tijd heeft gevoeld.

Vanuit haar ooghoek ziet ze hoe een donkere jongen steeds meer in haar richting schuift om uiteindelijk tegenover haar uit te komen. Ze heeft hem de hele avond al in de gaten gehad, ze meende zijn belangstelling voor haar op te merken, maar was bang dat ze het zich verbeeldde. Nu hij naar haar kijkt, heel even haar hand pakt en lacht, weet ze dat ze het goed heeft gezien. Af en toe kijkt ze naar hem terwijl de muziek haar tot dansen drijft. Het leven lijkt goed.

'Weet je zeker dat je niets anders wilt drinken?' De jongen heeft zich voorgesteld als Roy. Hij kijkt haar nu ongelovig aan. 'Water? Wil je echt alleen maar water?'

'Ik drink nooit alcohol,' zegt ze. 'Ik hou er niet van.'

Roy haalt zijn schouders op en bestelt bier en een flesje water. Jamina staat met Finn een eind verderop te praten, zich niet bewust van haar omgeving en haar verovering. Ze controleert nerveus of de goud-kleurige ceintuur nog goed rond haar zwarte topje zit.

'Ik heb je hier nog nooit gezien,' merkt Roy op als hij haar het flesje geeft. Hij komt een beetje dichterbij, zijn ademhaling raakt haar wang.

'Dan ben je hier zelf zeker nog niet vaak geweest.' Ze voelt zich zelf-verzekerd en heft haar flesje. 'Proost, op onze kennismaking dan maar.'

Hij komt nog dichterbij en ze heft haar gezicht naar hem op. Zijn bruine ogen raken haar groene. 'Je hebt prachtige ogen,' zegt hij. Ze doet een stap achteruit.

'Kattenogen.' Hij pakt haar hand en neemt een slok bier. 'Zulke groene ogen zie je niet vaak.'

Als ze weer in de richting van Jamina en Finn kijkt, ziet ze tot haar verrassing Floris staan. Hij kijkt naar haar en ze kan zelf eigenlijk niet vertellen waarom ze haar hoofd omdraait en nu een stap naar voren doet. 'Ik ben geen katje om zonder handschoenen aan te pakken,' fluistert ze Roy in het oor.

'Daar hou ik wel van.' Hij zet zijn glas op de bar en trekt haar naar zich toe. Voor ze het weet, voelt ze zijn lippen op de hare. Ze sluit haar ogen. Dit wil ze. Dit wil ze heel graag.

De nacht gaat al over in de morgenuren als ze samen buiten staan. Muziek dreunt nog na in haar oren. Er is bijna niemand meer op de parkeerplaats voor de discotheek. Jamina had al vroeg aangegeven dat zij en Finn naar huis wilden, maar zij wilde blijven. Van Floris was toen al geen spoor meer te bekennen. Ze had er ook niet meer op gelet. Onvermoeibaar had ze op de dansvloer gestaan. Hoe later het werd, hoe beter ze zich voelde.

Roys handen verkennen haar lichaam, zijn mond laat de hare niet los, zijn ademhaling gaat sneller. Ze houdt zijn handen tegen als ze onder haar shirt dreigen te verdwijnen.

'Wat is er?' Heel even laat hij haar los.

Ze schudt haar hoofd. 'Ik wil niet dat je dat doet.'

'Niet?'

Ze trekt nog eens aan haar ceintuur, friemelt onhandig aan de knopen van haar korte jasje. Op zijn gezicht leest ze verontwaardiging. 'Waarom niet?'

'Ik wil het gewoon niet.' Ze kijkt op haar horloge. 'Het wordt trouwens tijd om naar huis te gaan.'

'Zal ik je bellen?'

'Je hebt m'n nummer niet.'

'Zou ik misschien je nummer kunnen krijgen?' Hij trekt haar weer naar zich toe. 'Ik doe niets wat jij niet wilt, want ik vind je veel te leuk.'

'Ik vind jou ook leuk.' Ze geeft hem een snelle kus en wringt zich dan weer los. 'Ik hoor dus nog van je?'

'Als ik je nummer krijg...'

Zijn slanke vingers toetsen haar nummer in op zijn telefoon en slaan het op. Nog een keer verdrinkt ze in zijn doordringende blik, dan stapt ze op haar fiets om door de vroege ochtend naar huis te rijden.

Viereneenhalf uur later staat haar moeder naast haar bed. 'Je weet dat we hier op zondagmorgen gewend zijn om naar de kerk te gaan. Als jij ervoor kiest om tot 's morgens vroeg in een discotheek rond te hangen, moet je ook het lef hebben om gewoon mee naar de kerk te gaan. Je kunt anders beter in Zwartburg blijven.'

Tirza gaapt en wil zich nog eens omdraaien.

'Over een uur moeten we weg en ik verwacht dat je dan gewoon klaarstaat.'

'Jamina is er vast ook niet.'

'Jamina heeft kindernevendienst vanmorgen. Die is waarschijnlijk eerder naar huis gegaan. Ja toch?'

Ze knikt met tegenzin.

'Jamina heeft in ieder geval verantwoordelijkheidsgevoel. Ik schijn bij jou iets verkeerd te hebben gedaan. Ik kan jou daar in ieder geval niet op betrappen.'

Tirza kreunt. Daar gaat ze weer. Ze trekt het kussen over haar hoofd en wacht tot de deur wordt dichtgeklapt.

Na kerktijd vertrekt ze met een barstende hoofdpijn zo snel mogelijk weer richting Zwartburg.

Ik ben te moe om te schrijven. Moe, lamlendig en ellendig. Tabé! O ja, toch nog even. Hij heet Roy en hij is geweldig! Roy, Roy, Roy!

13

'Hij belt wel, hij belt niet.' Het is de vraag die Tirza de hele volgende week bezighoudt. 'Hij vindt je de moeite waard, hij vindt je niet de moeite waard.'

De mobiele telefoon wijkt geen moment van haar zijde. Steeds weer controleert ze of ze geen telefoontje of sms'je heeft gemist. Waarom heeft ze zijn nummer niet gevraagd? Ze had hem kunnen bellen, als ze had gedurfd. De kans was groot dat ze niet zou durven, bang om te horen dat hij zijn belangstelling voor haar al verloren had. Misschien komt het daardoor dat ze nog strenger voor zichzelf is. De spiegel vertelt haar dat Roy gelijk heeft. Ze is ook niet de moeite waard. 's Avonds trekt ze zeventig banen in het gemeentelijk zwembad dat twee keer zo groot is als het zwembad bij hun vakantiehuis in Mulazzo. Boterhammen die ze 's morgens voor school smeert, gooit ze in de bak voordat ze de school bereikt heeft. Ze moet met nog minder eten toe kunnen.

Op school ontwijkt ze Harald en probeert ze zich weer bij de anderen aan te sluiten. Ze heeft gevoeld dat ze gedoogd wordt. In de flat zit Floris nog vaker op zijn kamer. Ze heeft hem niet durven vragen hoe hij in de discotheek terecht is gekomen. Ze hebben er geen van beiden ook maar een woord aan vuilgemaakt.

Langzaam ebt de euforie van het weekend weg en dreigt ze weer met beide benen in de afgrond te belanden. Ze probeert het te negeren, maar de wereld wordt donkerder. De week is bijna om en Roy heeft niets van zich laten horen. Op de radio, die ze tijdens het koken te hard heeft aangezet, klinkt muziek die ook in de discotheek te horen was. Luidkeels zingt ze mee alsof ze zo het donker wil overwinnen.

'Verwacht je telefoon?' Floris staat ineens in de keuken. Van schrik snijdt ze niet in de paprika die ze onder handen heeft, maar in haar duim.

'Hoe kom je daar zo bij?'

'Je hoeft er niet heel erg intelligent voor te zijn om dat te vermoeden.' Hij leunt tegen de deurpost terwijl zij haar duim in haar mond steekt in een poging het bloeden te stelpen. 'Ik zie je de hele week al verontrust op je telefoon kijken. Hij heeft nog niet gebeld, hè?'

'Wie bedoel je?' houdt ze zich onnozel.

'Je weet best wie ik bedoel. Die mooie jongen van zaterdagavond.'

'Nee, hij heeft nog niet gebeld. Ik ben schijnbaar niet de moeite waard.' Ze vouwt een stukje keukenpapier om haar bloedende duim.

'Met zulke gedachten help je jezelf nog dieper in de put.'

'Ik kan het niet anders zien.'

'Misschien zegt het meer over hem dan over jou.'

Ze trekt voorzichtig het papier weer van haar duim af. Een bloeddruppel wringt zich uit de snee naar buiten. Ze steekt de duim direct weer in haar mond. Zwijgend loopt Floris naar de badkamer, ze hoort hoe hij het afgedankte medicijnkastje van haar ouders opent. Even later komt hij terug met pleisters en een schaar.

'Je lijkt m'n moeder wel,' zegt ze veel hatelijker dan ze zelf wil. Hij knipt zonder iets te zeggen een pleister af en legt die rond haar duim.

'Weet je wat jouw probleem is?' zegt hij dan langzaam. 'Jouw eigenwaarde hangt van anderen af.'

'Welnee, ik heb genoeg eigenwaarde.'

'Je hebt geen greintje eigenwaarde. Als je ook nog maar iets van eigenwaarde hebt dan ga je aanstaande zaterdag niet naar die discotheek. Laat die jongen maar zien dat je niet op hem zit te wachten. Als hij iets wil, kan hij van zich laten horen.' Inwendig spot hij met zichzelf. Voor anderen weet hij best hoe het moet, maar hoe deed hij zelf een tijdje terug niet zijn best om ook maar een glimp van Claudia op te vangen? Wat had hij aan zichzelf getwijfeld.

'Ik geloof niet dat ik zin heb om naar huis te gaan na de herrie die ik met m'n moeder heb gehad,' beweert Tirza nu enigszins aarzelend. 'Ze was woest omdat ik zo laat thuis kwam en de volgende morgen stond ze erop dat ik meeging naar de kerk.'

'Jamina gaat wel,' zegt hij en probeert de stem van haar moeder na te doen.

'Ja, Jamina gaat wel.' Ze lacht als een boer die kiespijn heeft, maar het haalt toch de spanning even uit de lucht.

Kelly hangt met een zucht haar witte schort in de kast en trekt haar bloes aan. 'Wat een rotdag,' hoort ze een collega zeggen. 'Dit went nooit. Eerst die aardige man die een hartstilstand op de afdeling kreeg en nu dit meisje. Ik had echt gedacht dat ze er misschien toch door zou komen. Het was onvoorstelbaar hoe mager ze was. Hoe kan zo'n kind nou denken dat ze dik is?'

'Ik ga ervandoor,' kondigt Kelly gauw aan. 'Morgen is er weer een dag moet je maar denken.'

'Jij denkt er wel heel makkelijk over,' vindt haar collega, maar ze reageert er niet meer op. Elke woord zou tranen uitlokken. Ze kan het beeld van dat broodmagere kind niet kwijtraken en elke keer schuift daar een ander gezicht voor. Tirza...

Ze heeft de wanhoop en het verdriet van de ouders van dit meisje gezien, de huilende broer en zus. Het was niet moeilijk om zich in hun verdriet te verplaatsen. Normaal gesproken weet ze het op afstand te houden. Ze is er goed in om scheiding tussen werk en privé aan te brengen. Vandaag lukte het haar bijna niet om haar emoties de baas te blijven.

'Ze was zo'n mooi meisje,' had de vader gezegd. 'En ze zag het zelf niet.'

Kelly balt haar handen tot vuisten en loopt de gang door. Hoe moet ze Tirza ervan weerhouden om zich nog langer uit te hongeren? Bestaat er wel een mogelijkheid om haar te stoppen? Er is al zo vaak op haar ingepraat, maar tot nu toe heeft het geen enkel effect gehad. 'We hebben het haar steeds weer gezegd,' vertelde de moeder vanmiddag. 'We zeiden haar dat ze prachtig was, dat we van haar hielden zoals ze was en dat ze echt niet te dik was. Het was net of we tegen een muur praatten. Af en toe kregen we het gevoel dat we gek waren. Ze had steeds maar het idee dat ze goed bezig was. Ze durfde gewoon niet te eten, zo bang was ze om dik te worden. Ik geloof dat ze nog liever wilde sterven dan aankomen. Nu vraag ik me af of we eerder hadden moeten ingrijpen.'

In de hal van het ziekenhuis drinken mensen koffie. Aan het plafond kleven helium ballonnen die in een onbewaakt ogenblik zijn losgelaten en het luchtruim hebben gekozen. Een oudere vrouw schuifelt met haar rollator in de richting van de koffiehoek. Op de zitting heeft ze een blad met daarop een kop cappuccino en een saucijzenbroodje geplaatst.

Ook in een ziekenhuis gaat het leven door.

Voor de draaideur staat een taxi, een eindje verderop staan mensen op het plein een sigaret te roken. Kelly haalt diep adem en probeert de gebeurtenissen van de afgelopen middag achter zich te laten, maar de beelden van dat stille kind laten zich niet verjagen. Ze doemen steeds weer op en stuwen de machteloosheid en het verdriet in haar op. Wat moet ze doen? Moet ze schreeuwen, huilen, en aan Tirza vertellen wat ze vanmiddag heeft gezien? Ze heeft het toch al eens eerder gedaan? Ze heeft toch al eens verteld hoe bang ze was? Heeft Tirza daar iets mee gedaan? Buiten hangen zware wolken boven het plein voor het ziekenhuis, de wind speelt een heftig spel met de bomen. Ze knoopt haar jas dicht en zonder dat ze het wil stromen de tranen nu toch over haar wangen. Geërgerd probeert ze die weg te vegen, maar de vloed houdt aan. Bussen rijden voorbij, stoppen bij de halte voor het ziekenhuis en trekken weer op. In het fietsenhok tracht ze tot zichzelf te komen. Verwoed wrijft ze met een zakdoek over haar ogen, snuit haar neus en trekt dan de fiets uit het rek. Misschien moet ze gewoon nog eens met Tirza praten. Ze heeft maar één zus en die wil ze niet kwijt. Opnieuw dreigen emoties haar te overmannen terwijl ze haar fiets naar buiten rijdt.

'Kelly!'

Ze veegt met haar mouw langs haar ogen, probeert de stem te negeren. Niet nu. Ze kan op dit moment niet praten.

'Kelly!'

De stem komt dichterbij, voetstappen klinken vlak achter haar. 'Hé Kelly, wil je me niet horen?' Kenneth lacht als hij haar bij haar schouders vastpakt om haar tegen te houden. 'Wat is er met je aan de hand?' De lach verdwijnt van zijn gezicht. 'Wat is er gebeurd? Ik wilde je nog wel verrassen met een etentje.'

Ze wil iets zeggen, maar haar stem weigert en onafgebroken blijven de tranen stromen. Hij slaat zijn arm om haar heen en laat haar huilen. Mensen moeten voor hen uitwijken omdat ze midden op het trottoir staan. Iemand moppert.

'Kel, ik breng je naar huis,' besluit Kenneth dan. 'Klim maar achter op de fiets. We gaan naar jouw huis en dan haal ik een paar pizza's. Jank maar eens lekker van je af en dan hoor ik straks wel wat er aan de hand is.'

Hij neemt de fiets van haar over, houdt even in tot zij zit en haar armen om hem heen slaat. De donkere wolken aan de hemel laten hun eerste druppels vallen.

Kenneth vult haar woning met jeugdige overmoed. Zijn haren druipen als hij terugkeert met pizza's en een fles rode wijn, nadat hij haar eerst thuis heeft afgezet. Hij schudt zich als een jonge hond, droogt zijn haren met de handdoek die ze hem aanreikt en hangt zijn jas te drogen in het halletje bij de trap. 'Leuk appartementje,' zegt hij waarderend als hij door haar kamer loopt. 'Lekker dicht bij het ziekenhuis ook. Ik hou van oude woningen. Ze hebben een verleden. Hier hebben mensen geleefd en hun sporen achtergelaten. Het is heel wat anders dan zo'n huis in een nieuwbouwwijk zoals onze ouders hebben.'

De geur van pizza doortrekt de kamer. Kelly heeft de tafel gedekt.

'Zo'n nieuwbouwwoning is praktischer,' merkt ze op. 'Bovendien is het huis van jouw ouders wel in de jaren dertig stijl gebouwd. Daardoor wordt het nuttige met het aangename verenigd.' Het is prettig dat Kenneth er is en over gewone dingen praat. Zijn aanwe-

zigheid leidt haar af van de gebeurtenissen van deze dag. Hij ontkurkt de fles wijn en zit even later aan haar tafel alsof hij er hoort.
Zijn altijd wat hese stem klinkt vertrouwd terwijl hij praat over de
studie die hij heeft opgepakt, over de kamer waarnaar hij op zoek is
en over zijn moeder die steeds weer beweert dat hij sinds zijn uit-
zending naar Afghanistan zo veranderd is. De wijn smaakt precies
goed, de pizza is heerlijk, en het smalle meisje in het te grote bed met
het verdriet van haar familieleden, verdwijnt stukje bij beetje naar de
achtergrond. Af en toe moet ze lachen om zijn verhalen. Ze is blij dat
hij weer thuis is, al heeft juist Afghanistan ervoor gezorgd dat hun
contacten geïntensiveerd werden. Daarvoor leek het of ze hem stukje bij beetje kwijtraakte. De natuurlijke band, die ze altijd hadden,
leek verbroken.

'Ben je al in staat te vertellen wat of wie jou zoveel verdriet doet?' Hij
kijkt haar aandachtig aan, zijn kin leunend in de palm van zijn hand.
Met de vingers van zijn andere hand draait hij nadenkend zijn wijn-
glas rond. 'Is er toevallig een hij in het spel? Je hoeft het me niet te
vertellen als je niet wilt.'

Ze schudt verwoed haar hoofd, zoekt naar woorden.

Vlak voor hij naar Afghanistan afreisde, had ze het idee dat ze meer
voor hem voelde dan de intense vriendschap die er altijd was
geweest. Die gevoelens hadden haar verward, maar nu hij hier zit
weet ze dat het niet zo is, en ze weet eigenlijk niet of ze daar blij mee
moet zijn. Kenneth is een mooie jongen. Haar vriendinnen steken
hun jaloezie niet onder stoelen of banken, want ze zouden er veel
voor over hebben om bevriend met Kenneth te zijn. Onder de korte
mouwen van het rode shirt dat hij draagt, bollen zijn gespierde
armen op. Even weet ze niet hoe ze moet beginnen, maar dan rijgen
woorden zich aaneen tot een niet te stoppen stroom.

'Zita...' Jeanette Weerstand zet haar bril recht en leunt voorover alsof
ze zo de afstand tussen Zita en haar wil verkleinen. Het bureau tussen hen in ligt bezaaid met papieren waaruit Jeanette altijd feilloos

het juiste weet te pakken. In de strakke zilverkleurige lijst aan de zij-kant, kijkt de hele familie Weerstand haar aan. Albert glimlacht zui-nig, rond Henderika's mond speelt een brede lach en Jeanette lijkt het een serieuze zaak te vinden.

'Ik had eigenlijk niet verwacht dit gesprek ooit met je te moeten voe-ren,' gaat Jeanette verder. Zita zet zich schrap maar blijft zwijgen. 'Je hebt waarschijnlijk zelf ook wel gemerkt dat het niet goed loopt op je afdeling.'

Zita kijkt haar afwachtend aan en na een kleine pauze vervolgt Jeanette: 'Ik had gehoopt dat het van tijdelijke aard zou zijn maar de klachten blijven me bereiken.'

'Klachten? Van wie komen die klachten dan wel?' Vanuit haar schouders kruipt de spanning omhoog naar haar nek. Zita weet zeker dat ze vanmiddag met een barstende hoofdpijn in bed zal lig-gen. Ze weet nu ook zeker welke naam ze zo zal horen.

Jeanette vouwt haar benen over elkaar en strijkt een weerbarstige lok uit haar gezicht. 'Vera Verstraten.'

'Als ik het niet dacht.'

'Je hebt de onvrede dus zelf ook al gesignaleerd?' Jeanette veert op. 'Waarom ben jij dan niet naar me toegekomen?'

'Mag ik ook weten wat de oorzaken van die onvrede zijn?' Ze voelt zich ineens rustig, alsof het er allemaal niet meer toe doet.

'Misschien heb ik het net verkeerd aangegeven. Vera Verstraten kwam weliswaar naar me toe, maar het gevoel van onbehagen heerst ook onder de overige medewerksters. Ze geven aan dat ze het moei-lijk vinden dat je veel werk naar je toe trekt. In plaats van hen te motiveren en aan te sturen, lijkt het erop dat je de taken niet uit han-den durft te geven. Vera heeft je daar eerder op aangesproken, maar je hebt er toen helaas niets mee gedaan. Je staat niet open voor kri-tiek, en ideeën, die tijdens het werkoverleg geopperd worden, leg je naast je neer,' somt Jeanette op.

Een warme gloed welt naar haar wangen.

'Ik heb de problemen bij Vera aangekaart omdat ik voelde dat er iets broeide,' zegt ze verontwaardigd. 'Dat is al een tijd geleden en zij heeft toen aangegeven dat ze zich hier op haar plek voelde. Daarna zijn er tijdens het werkoverleg wel eens wat dingen naar voren gekomen, maar bij mijn weten zijn die moeilijkheden direct opgelost.'

Ze heeft het de afgelopen tijd wel gevoeld. Het was alsof de poten onder haar stoel vandaan werden gezaagd, heel langzaam en heel subtiel, maar uiteindelijk doeltreffend. 'Als er problemen zijn moeten jullie naar me toekomen,' had ze tijdens het laatste werkoverleg nog aangegeven. 'We werken hier op een hectische afdeling waar tijdsdruk een grote rol speelt. Met elkaar moeten we dat op zien te lossen en ik heb jullie allemaal nodig.'

Ze had gemeend dat ze daarmee de moeilijkheden het hoofd had geboden. Natuurlijk had ze wel gemerkt dat gesprekken regelmatig stilvielen als zij de afdeling opkwam, maar wat had ze daar nog meer aan kunnen doen? Als ze nu naar Jeanette kijkt, weet ze dat ze meer had moeten doen. Ze weet ook dat het nooit genoeg zal zijn. Vera heeft Jeanette helemaal ingepakt en de medewerksters van haar afdeling tegen haar op weten te zetten. Had er niet altijd een goede sfeer geheerst? Valt het Jeanette ook niet op dat de problemen na de komst van Vera zijn begonnen?

'Voordat Vera hier kwam ging het altijd goed,' merkt ze voorzichtig op.

'Omdat niemand iets durfde te zeggen. Het is natuurlijk niet eerlijk om nu Vera de schuld te geven. Ik hoopte, eerlijk gezegd, dat je de hand in eigen boezem durfde te steken.'

'Als het probleem bij mij lag zou ik dat zeker doen. In ieder geval zal ik het komende werkoverleg benutten om de zaak tot de bodem toe uit te zoeken. Mocht dat niet lukken dan wil ik met elke medewerker apart een gesprek voeren.'

'Dat werkoverleg vindt morgen plaats in mijn aanwezigheid. Er worden zeker geen gesprekken gevoerd waarbij jij je wil weer aan de anderen weet op te leggen.'

Zita wil er iets tegenin brengen, maar als ze naar het gezicht van

Jeanette kijkt, weet ze dat haar kansen verkeken zijn. Vera zit al bijna op haar plek. Het werkoverleg van morgen is de laatste hobbel die ze moet nemen, en Zita is niet bij machte om daar ook maar iets aan te veranderen.

Het is haar toch gelukt om de rest van de middag door te komen, maar als ze de fiets in de schuur zet heeft Zita het gevoel dat ze gebroken is. Heel rustig had ze na het gesprek met Jeanette op de afdeling aangegeven dat er de volgende dag een extra werkoverleg was gepland waarbij Jeanette ook aanwezig zou zijn. Daarbij had ze de blik van Vera niet gemeden. Uitdagend had die haar aangekeken, maar ze had geen kik gegeven. Ze zou met rechte schouders ten onder gaan.
Terwijl ze het tuinpad oploopt, voelt ze hoe de pijn in haar nek verder optrekt naar haar hoofd. Op het aanrecht heeft ze andijvie klaargelegd die nog gesneden moet worden. De aardappels staan in het mandje. Ze weet zeker dat ze het niet gaat redden. Wijnand zal het vandaag met sperziebonen uit blik, een hamburger en aardappelpuree uit een pakje moeten doen.
Onder haar schedeldak bonst het. Ze draait het blik los, kookt melk voor de puree en bakt de hamburgers. Steeds weer is er dat gevoel dat ze op haar werk gefaald heeft. Jeanette heeft gelijk, ze had eerder moeten ingrijpen. Ze had Vera niet zo haar gang moeten laten gaan. Vanaf het begin had ze toch geweten dat het na de komst van Vera niet gezelliger was geworden op de afdeling? Ze was ook niet haar keuze geweest. Albert en Jeanette hadden hun voorkeur voor Vera uitgesproken en zij hadden het laatste woord gehad. Daarmee was het begonnen en nu valt er niets meer terug te draaien. In de optiek van Jeanette had ze gefaald en al zal ze dat tegenspreken, Jeanette zal bij haar mening blijven. Daarvoor kent ze haar lang genoeg.
Ze heeft net de tafel gedekt als Wijnand handenwrijvend de keuken binnenkomt. 'Ha, ik ruik de andijviestamppot al. Ik heb me daar werkelijk de hele middag op verheugd. Die bespreking viel me van-

middag helemaal niet mee, maar dit vooruitzicht heeft me er doorheen gesleept.' Hij kust haar op haar wang.

'Je zult het vandaag met bonen en aardappelpuree moeten doen,' zegt ze moeilijk.

'Geen andijviestamppot met spekjes? Je maakt een grapje zeker. Vanmorgen had je de andijvie al op het aanrecht liggen.'

'Ik voel me niet lekker.'

'Dat meen je niet!' Zijn stem klinkt hoogst verontwaardigd. 'Je weet hoe dol ik op andijviestamp ben. Er is niemand die het zo heerlijk kan klaarmaken als jij en nu wil je me afschepen met bonen uit blik en waterige puree?'

Anders is hij nooit zo onredelijk.

'Ik heb een barstende hoofdpijn,' probeert ze nog eens.

'Ja, nu heb je hoofdpijn, een andere keer is het buikpijn of je bent moe. Wat mankeert je toch tegenwoordig? Als er iets met je aan de hand is, kun je dat beter gewoon zeggen. Je denkt toch niet dat ik nu aan die blikbonen ga omdat jij weer te beroerd bent om een behoorlijke maaltijd te koken?'

'Doe het dan zelf!' Nu laait de woede ook in haar op. 'Je verwacht dat het eten elke dag klaarstaat, maar je vergeet dat ik net zo goed de hele dag aan het werk ben.'

'Word je dat ineens teveel? Wat is er toch in je gevaren? Het lijkt erop dat ik je teveel word. Er mankeert de laatste tijd van alles aan me. Zeg me wat je probleem is. Heb je een ander? Kom er dan gewoon voor uit.'

'Een ander?' Ze kijkt hem aan alsof ze water ziet branden.

'Iets anders weet ik niet te bedenken en als het je teveel is om te koken na werktijd, moet je gewoon vragen of ik dat wil doen. Het is niet eerlijk om me dit voor de voeten te gooien terwijl je heel goed weet dat je dit zelf niet uit handen wilt geven. Je meent altijd dat jij de enige bent die het goed kan.'

Ze valt stil en kijkt hem aan. Vandaag is dit eerder tegen haar gezegd, dezelfde woorden op een andere toon.

'Ga weg,' zegt ze terwijl ze zich vasthoudt aan de rugleuning van een van de eetkamerstoelen. Haar benen trillen, maar opnieuw recht ze haar rug. 'Ga alsjeblieft weg.'

'Waarom?' Zijn gezicht is bleek. 'Laat me er iets van begrijpen, Zita. Vertel me waarom.'

'Misschien is er wel een ander.' Haar hoofd bonst.

'Misschien? Je weet toch wel...'

Ze kan zijn harde stem niet langer verdragen. 'Er is een ander,' zegt ze. Ze wil wel alles zeggen, als hij nu zijn mond maar houdt, als hij maar weggaat.

'Wie?' Zijn stem klinkt schor.

'Dat doet er niet toe.'

Hij zwijgt eindelijk. Ze kijkt toe hoe hij zijn tas oppakt die hij even daarvoor naast de bank heeft neergegooid. Het is alsof ze naar een film kijkt, of het haar niet werkelijk overkomt. Zonder nog iets te zeggen loopt hij de deur uit. Als ze hem het tuinpad af ziet lopen weet ze dat ze niet wil dat hij gaat, dat hij haar leven en liefde is maar ze is niet in staat hem achterna te gaan. Ze is niet in staat zich te verroeren.

Floris is te lief, en Roy is weerzinwekkend. Ik wil hem niet meer, al zou hij de laatste man op aarde zijn. Hij heeft niets meer van zich laten horen. Ik denk echt dat ik hem niet meer wil. Echt niet! Of toch?

14

'Jullie gaan toch niet scheiden?' vraagt Kelly. 'Het is toch een idioot verhaal? Volgens Kenneth zou jij een ander hebben en daar geloof ik niets van. Jij en een ander, kom nou...'
Zita haalt haar schouders op. Ze heeft het gevoel alsof ze niet anders meer kan. De afgelopen dagen heeft ze in ieder geval niet anders gedaan. 'Wat is er in je gevaren?' had Annabel gevraagd, op de hoogte gebracht door Wijnand die voor een paar dagen logies bij hen had gekregen.
Wijnand had het haar gevraagd toen hij kleding voor die dagen kwam halen. Tirza heeft het gevraagd.
'Wie zou die ander dan wel moeten zijn?' houdt Kelly aan. 'Is het iemand van je werk?'
Haar werk. Ze heeft haar werk altijd prettig gevonden, met de directie van Weerstand Party-Service had ze een prima relatie. Hoe kon dat toch zo veranderen?
'Misschien is het goed dat je even thuis blijft om erover na te denken hoe het nu verder moet,' had Jeanette aan de telefoon gezegd nadat ze zich ziek had gemeld. 'Wij denken daar vanmorgen tijdens het werkoverleg ook over na. Je krijgt uiteraard een oproep voor de bedrijfsarts, en ik denk dat het goed is als je eens een afspraak maakt met een psycholoog. Zo kan het niet verdergaan. Ik zal Vera vragen of zij zolang je taken waarneemt. Ze lijkt me daar prima toe in staat.'
'Het is dus iemand van je werk,' legt Kelly haar zwijgen uit.
Ze schudt haar hoofd. 'Er is niemand, Kelly. Het is me gewoon even teveel geworden. Ik word er op m'n werk uitgewerkt en hier thuis loopt het ook niet lekker. Ik vind het moeilijk dat Tirza in Zwartburg woont, omdat ik het idee heb dat het niet goed gaat. Ze moet hulp hebben maar ze neemt niets van me aan.'
'Je hebt dus helemaal geen ander?'
'Nee, er is geen ander.' Ze weet zelf niet waarom ze het niet tegen

Wijnand heeft gezegd toen hij kwam. 'Ik wil niet eens scheiden. Papa zei gewoon de verkeerde dingen op het verkeerde moment en ik had een barstende hoofdpijn.'

'Je hebt toch alle gelegenheid gehad om hem dat te vertellen?'

'Ik had even ruimte nodig om na te denken.'

'Het was toch een stuk handiger geweest als je dat anders had aangepakt,' concludeert Kelly hardvochtig. 'Hoe haal je het toch in je hoofd. Maar wat Tirza betreft heb je gelijk. Is het niet mogelijk om de huisarts in te schakelen? Zullen we daar anders later over nadenken? Ik denk dat het goed is als je papa nu eerst op de hoogte brengt.'

Ze weet niet wat ze moet zeggen. Wat zal hij ervan vinden als ze eindelijk met dat vreselijke geheim op de proppen komt? Hij zal haar afwijzen, hij zal met andere ogen naar haar kijken. Is het daarna tussen hen niet voorgoed kapot?

'Ik ga papa vertellen dat hij naar huis kan komen om met je te praten.' Kelly's stem duldt geen tegenspraak. 'Nu? Straks?'

'Laat hij hier maar komen eten.' Er is geen weg terug. Ze realiseert het zich als ze Kelly het pad af ziet lopen. Het maakt haar bang, doodsbang.

Een uurtje later zit Kelly tegenover Kenneth in een lunchroom. 'Het is toch heel bijzonder dat onze vriendschap altijd gebleven is,' zegt hij en neemt met zichtbaar genoegen een hap slagroom van zijn moorkop. 'In Afghanistan heb ik me werkelijk heel erg gesteund gevoeld door de mailtjes die je me stuurde. Voor jou hoef ik geen geheimen te hebben.'

'Ik vond het zelf ook prettig om te horen hoe het daar was. Je moeder was wel verontwaardigd toen ze hoorde dat wij zoveel mailden, terwijl zij het met een wekelijks telefoontje moest doen.'

'Mijn moeder wil nog altijd als een kloek bovenop haar kuikens zitten. Ze had het liefst dat ik haar dagelijks belde. Daarom zeurt ze nu ook zo dat ik veranderd ben. Ze wil dat ik mijn diepste geheimen met haar bespreek, maar veel dingen wil ik gewoon niet met haar

delen. Dat doe ik liever met mensen die me na aan het hart liggen.'
Kelly krijgt het ineens een beetje benauwd. Om zich een houding te geven, roert ze eindeloos door haar koffie. Ze ziet hoe hij ook een beetje ongemakkelijk op zijn stoel schuift en alle slagroom van de moorkop schraapt voordat hij zijn vork in de chocolade zet. Was het de hele tijd al zo warm in deze lunchroom?

'Ik vind dat het tijd wordt dat jij ervan weet,' gaat hij verder terwijl hij zijn stem dempt. 'Ook in tijden dat we minder met elkaar optrokken kon ik alles bij je kwijt. Ik vond dat heel geweldig en daarom wil ik je nu graag...'

'Het is hier warm, hè?' valt ze hem in de rede. 'Heb jij het ook zo warm?'

'Nou, dat valt eigenlijk wel mee. Vind je het erg als ik nog even verderga?'

'Nee, ga je gang.' Ze wil het niet horen. Het zal het einde van hun vriendschap betekenen.

'Ik heb kort voordat ik naar Afghanistan vertrok een vrouw ontmoet.'

'Een vrouw...' De kop koffie die net op weg was naar haar mond, blijft halverwege hangen.

'Ja, een vrouw, en wat voor een vrouw.'
Ze zet haar kopje op het schoteltje.

'Ik ben misschien wat bevooroordeeld, maar ze is geweldig. Ik heb nooit eerder een vrouw ontmoet die zo goed bij me paste. Ik kan werkelijk alles bij haar kwijt. Jouw mailtjes in Afghanistan waren heerlijk, maar ik leefde ook op de hare, en haar belde ik zodra ik in de gelegenheid was.'

Ze moet zich even herstellen. 'Dat is toch geweldig voor je,' zegt ze dan. 'Gefeliciteerd. Hoe heet ze?'

'Magda.' Hij spreekt haar naam vol trots uit om dan te vervolgen: 'Ze is een fantastisch mooie vrouw.'

'Je ouders zullen het vast fijn vinden.'

'Magda is zestien jaar ouder dan ik ben.'

Ze staart naar Kenneth en krijgt de neiging om te giechelen. 'Je moeder komt niet meer bij,' ontglipt het haar, maar als ze zijn beteuterde gezicht ziet, krijgt ze medelijden. 'Ze zal er snel genoeg aan wennen, en als ze weet dat jij gelukkig bent...'

'Denk je?' informeert hij onzeker, om even later toch weer enthousiast te worden. 'Magda is een wereldvrouw. Ze is mooi, ze kan geweldig koken, en ze is ook nog heel erg intelligent.'

'Ik ben blij voor je,' zegt ze nu oprecht.

'Ik hoop dat onze vriendschap er niet onder zal lijden.' Ze moet lachen om zijn onzekerheid. Is dit Kenneth? Is dit die zelfverzekerde kwajongen met wie al haar vriendinnen heel graag een avondje uit zouden willen?

'Het lijkt me leuk om Magda binnenkort eens te ontmoeten.' Ze drinkt haar kopje koffie leeg. 'Als je me nu wilt excuseren.'

'Moet je nu al weg? We zouden toch samen nog de stad in?'

'Ik wil eigenlijk nog even naar Tirza. Ze maakt zich zorgen om mijn ouders. Ik moet haar even geruststellen.'

'Zal ik met je meegaan?'

'Nee, het is beter als we als zussen onder elkaar zijn.' Ze geeft hem een hartelijke kus op z'n wang en staat even later op het busstation nog stilletjes te grinniken.

Het is mogelijk dat ze het zich verbeeldt, maar Tirza lijkt nog meer afgevallen dan de laatste keer. 'Gezellig, dat je zomaar aan komt waaien,' verwelkomt Tirza haar onverwachte gast, maar haar gezicht spreekt een andere taal. Kelly voelt zich dan ook allerminst welkom. 'Hoe kom je hier zo verzeild?' informeert Tirza als Kelly haar jas heeft opgehangen. 'Was je in de buurt?'

'Ik ben speciaal voor jou gekomen.'

'Dat is leuk om te horen.' Het klinkt afstandelijk en die afstandelijkheid blijft, ook nu ze als een keurige gastvrouw thee in heeft geschonken en de glazen op tafel zet.

'Ik heb er helaas niets bij,' verontschuldigt ze zich als ze tegenover

Kelly gaat zitten. Ze neemt haar theeglas in de hand en zet dat dan toch weer terug op tafel, duidelijk verlegen met de situatie, alsof ze niet als zussen tegenover elkaar zitten.

'Ik wil je eigenlijk vertellen dat het tussen papa en mama wel weer goed komt. Vanavond komt papa eten en dan zullen ze praten. Er moeten wat misverstanden uit de weg geruimd worden.'

'Gelukkig maar.'

Het klinkt niet alsof Tirza zich grote zorgen maakt.

Waar is de vroegere vertrouwelijkheid gebleven? Ze waren twee zusjes die door dik en dun voor elkaar klaar stonden. Als het onweerde kropen ze bij elkaar in bed. Tirza kwam op de basisschool naar haar toe als ze gepest werd of was gevallen. Zij troostte Tirza, ze nam het voor Tirza op. Ze lachten samen tot ze buikpijn kregen, ze speelden verstoppertje.

Haar handen beven als ze haar theeglas oppakt.

'Tirza, ik hoop niet dat je het erg vindt, maar het moet me van het hart...'

'Daar komt de aap uit de mouw. Je bent hier helemaal niet om me te vertellen dat het goed komt tussen papa en mama. Daar wat ik al bang voor. Ga je beginnen over mijn eetgewoontes?' valt Tirza haar in de rede. 'Die moeite kun je je besparen, want ik weet wel hoe je erover denkt. Ben je misschien weer een anorexiapatiënt tegengekomen? Wil je me nog een keer vertellen hoe erg dat eruitziet?'

'Ze is overleden.' Haar stem klinkt heel zacht, maar de stilte die volgt is oorverdovend.

Opnieuw pakt Tirza haar kopje op, om het toch weer neer te zetten.

'Wat wil je daar nu mee zeggen?'

'Ik ben zo bang dat jij op een dag ook...'

De afweer van Tirza lijkt ineens gebroken. 'Ik ga niet dood.' Haar stem trilt.

'Soms heb ik het idee dat je dat al een beetje bent. Je bent het zusje niet meer dat je was. Weet je nog hoeveel plezier we hebben gehad?

We deelden geheimen en verdriet met elkaar. We lagen af en toe slap van het lachen.'

'We konden lachen om niets.'

'Precies. Soms lijkt dat eeuwen geleden, en ik denk wel eens dat het een ander was met wie ik dat allemaal heb beleefd. In ieder geval is het tegenwoordig zo anders. Ik ben steeds maar bang dat ik de verkeerde dingen zeg, of dat ik teveel op je bord let waarop bijna niets ligt. Je bent m'n zusje en ik hou van je. Ik wil je zo graag terug. Ga wat aan je probleem doen, Tirza. Het is veel groter dan je denkt. Ik wil je helpen waar ik kan, maar jij moet het uiteindelijk doen.'

'Soms wil ik het ook.' Tirza drinkt nu met kleine slokjes haar kopje thee leeg. 'Ik ben eigenlijk zo moe, en ik wil wel anders maar ik kan het niet.'

'Je probeert het niet.' Er veert iets van hoop omhoog. 'Ik wil je echt in alles steunen. Je hoeft niet direct in therapie als je dat niet ziet zitten. Er zijn diëtisten die gespecialiseerd zijn in eetstoornissen. Misschien is dat een begin. Ik vraag het je niet om het voor mij te doen, al zal ik het geweldig vinden als je het doet. Ik vraag het je voor jezelf. Het draait alleen om jou. Ik wil dat jij weer gelukkig en gezond wordt.'

'Ik zal m'n best doen.'

'Je moet dan eerst naar de huisarts. Zal ik met je meegaan?'

'Ik kan dat best zelf.'

Die woorden klinken vertrouwd. Hoe vaak had Tirza dat in de loop van haar leven al niet gezegd? Als klein kind kon ze dat zo gedecideerd zeggen, al vanaf het moment dat ze met praten begon. 'Ik kan het zelf.' Ze herinnert zich nog dat het een gevleugelde uitdrukking in hun gezin werd.

'Beloof me dat je m'n hulp vraagt als het te moeilijk wordt,' dringt Kelly aan.

'Hé, ben jij niet met m'n broer op stap?' Ze hebben geen van tweeën gemerkt dat Floris binnengekomen is. Lichtelijk verdwaasd kijken ze hem aan. 'Kelly, jij zou toch met mijn broer gaan shoppen en zo?'

'Dat 'en zo' hebben we gedaan, van dat shoppen is het niet meer gekomen,' probeert Kelly luchtig te zeggen.

'Ik stoor toch niet?' Het dringt nu tot Floris door dat de sfeer geladen is.

'Je komt als geroepen.' Kelly steekt hem haar lege kopje toe. 'Ik heb een pracht van een dorst.'

Op het echtelijk bed liggen diverse kledingstukken door elkaar heen, gewogen en te licht bevonden door Zita. Als ze voor de spiegel staat, voelt ze zich weer in hun verkeringstijd toen dezelfde onzekerheid haar parten speelde.

Waarom luistert het zo nauw? Hij zal straks niets meer van haar willen weten, hoeveel werk ze ook van haar uiterlijk zal maken.

Ze had het hem moeten vertellen voor ze trouwden. Misschien had hij het haar toen kunnen vergeven. Nu zal hij zich verraden voelen. Al die jaren is hij getrouwd geweest met een vrouw met een dubbele bodem. Hij meende haar te kennen. Ze is een ander dan hij altijd heeft gedacht.

Ze kiest voor een eenvoudig zwart jurkje, waarvan ze weet dat Wijnand het mooi vindt. Heel subtiel brengt ze even later wat make-up aan. Haar spiegelbeeld vertelt haar dat ze er goed uitziet, haar hoofd zegt dat het niets uitmaakt. Vanavond zal ze hem niet kunnen verleiden, zelfs niet met haar favoriete zwarte jurkje.

Waarom is ze die last altijd alleen blijven meezeulen? Ergens op de achtergrond had de angst voor ontdekking gesmeuld. Ze is altijd bang geweest, als kind was ze al angstig, maar nadat...

Haar hart klopt in haar keel. Ze laat de kledingstukken op bed liggen en haast zich naar beneden om de laatste hand aan de keurig gedekte tafel te leggen. De lasagne staat in de oven, de rode wijn is op kamertemperatuur. Alles is gereed om Wijnand te ontvangen. Met het verstrijken van de tijd neemt haar angst toe.

'Heb je daar echt al die jaren mee rondgelopen?' Wijnand staart haar ongelovig aan. Op zijn gezicht leest ze verbijstering, of is afschuw een beter woord? Ze kan die blik niet langer verdragen en kijkt een andere kant op.

'Waarom heb je het me niet eerder verteld?'

Ze heeft geen antwoord.

'Lieve schat, wat zul jij je de afgelopen jaren eenzaam hebben gevoeld.' Er klinkt compassie in z'n stem en ze waagt het toch om weer even naar hem te kijken. Hij heeft tranen in zijn ogen. 'Ik wist wel dat je het heel moeilijk had bij je moeder, maar dat het zo erg was... En Olaf... heeft hij het echt niet geweten?'

'Het was uit tussen ons. Hij ging met Annabel.' Ze kijkt naar haar handen. Ze heeft lange, beweeglijke vingers waarmee ze snel kan typen. Vroeger wilde haar moeder dat ze op pianoles ging, maar ze was er te ongedurig voor en was minder muzikaal dan haar moeder hoopte. 'Ik vind het nogal wat dat je toch vriendin bleef met Annabel,' hoort ze Wijnand verdergaan. 'Wist ze van jou en Olaf?'

'We gingen samen naar het feestje van Annabel.' Ze schuift de trouwring aan haar rechter ringvinger op en neer.

'Ja, natuurlijk wist ze het. Je hebt het net gezegd. Maar wist zij dan ook...'

'Niemand wist ervan,' valt ze hem in de rede. 'Alleen mijn moeder en ik. Verder is het een groot geheim gebleven.'

'Nu begrijp ik sommige reacties van jou veel beter,' zegt hij nadenkend. 'Ik voel me gewoon aangeslagen. Het is onbegrijpelijk voor me dat je zo bent blijven functioneren en dat je gewoon de vriendschap met Annabel hebt aangehouden. Je werd steeds geconfronteerd met Olaf en zo kon je er nooit een punt achter zetten. Het voelt toch een beetje alsof je vreemd bent gegaan, maar dan toch weer heel anders. Ik kijk anders tegen jou aan, maar ook tegen Olaf. Ik voel me toch bedrogen, denk ik.'

'Het was voor mij allang voorbij.'

'Nee, dat was het niet,' zegt hij fel. 'Daarom vertel je het me nu. De pijn speelt na al die jaren op. Je hebt het niet verwerkt. Hoe kun je dit ook verwerken als je er met niemand over praat? Al die jaren... kind, Zita, had het me toch verteld. Ik hou toch van je? Hoe kun je nou denken dat ik dan niets meer van je zou willen weten?' Hij schuift z'n bord aan de kant waarop de lasagne nog bijna onaangeroerd ligt. 'Je was nog zo jong, je moeder dacht alleen maar aan zichzelf en je stond er alleen voor. Als er iemand geen schuld heeft dan ben jij het wel.'

'Ik had moeten weigeren.'

'Als geen ander weet ik wat voor een vrouw jouw moeder was. Als zij iets in haar hoofd had, had je het maar te doen. Ze heeft je onder druk gezet en jij kon geen kant op.'

Hij trekt zijn bord weer naar zich toe en snijdt toch een stukje lasagne af. Nadenkend staart hij haar aan. 'Het is toch onvoorstelbaar dat ik daar nooit iets van heb geweten. Zelfs Olaf heeft er nooit een toespeling opgemaakt.'

'Voor Olaf was het niet meer dan een heel korte verkering en dat moet het maar blijven. Het is nooit belangrijk voor hem geweest.'

'Misschien vind ik dat het ergste. Olaf vond het niet van belang en jij hebt het je hele leven meegedragen.'

'Hij wist het immers niet?' neemt ze het voor hem op.

Wijnand roert peinzend door zijn bord. 'Ik denk echt dat je hem de waarheid moet vertellen.'

'Wie wordt daar dan beter van?'

Hier is ze bang voor geweest. Met het openen van het deksel van de beerput golft de ellende alle kanten op.

'Als je het niet voor jezelf wilt doen, zou ik willen dat je het voor mij deed.'

Lijkt het zo of is hij deze week smaller geworden? Ze haalt in een hulpeloos gebaar haar schouders op.

'Doe het voor mij,' dringt hij nog eens aan. 'Het is voor mij onmogelijk om op de oude voet voort te gaan. Er moet openheid van zaken gegeven worden.'

Waarom heeft ze het toch niet anders gedaan? Zo heeft ze het niet gewild, maar ze kan niet terug.

'Hé Tirza, hoe bevalt het je hier?' Daan klimt naast haar op het muurtje. Ze trekt haar mouwen nog eens extra tot aan haar handen naar beneden, bang als ze is dat hem de haartjes zullen opvallen.

'Heb je het koud?' Hij legt haar gebaar anders uit, neemt een grote hap van zijn broodje met gegrilde kip en kijkt haar afwachtend aan. Hij smakt een beetje.

'Ik heb het niet koud,' zegt ze. 'En de opleiding vind ik prima.' Ze voelt zich ongemakkelijk naast Daan die dagenlang alleen met Nanette is opgetrokken en nu plotseling weer belangstelling voor haar lijkt te hebben.

'Soms heb ik het gevoel dat je het helemaal niet zo leuk vindt,' gaat hij verder.

'Dat zie je dan verkeerd.'

Het irriteert haar dat hij smakt. Ineens houdt hij haar zijn broodje voor. 'Ook een stukje?'

'Ik heb al gegeten.'

'Dat zal wel.'

'Drie boterhammen,' liegt ze.

Hij glimlacht spottend, maar doet er het zwijgen toe. Er komen meer klasgenoten aanlopen. Ze ontwaart Nanette en Harald. Binnen de kortste keren worden ze omringd door een hele groep die in een felle discussie verwikkeld raakt over het niveau van de opleiding. Ze staat midden in de kring en verkondigt haar mening. Klasgenoten trekken pakjes brood uit hun tas of verorberen sandwiches die ze in de kantine hebben gehaald. Zij pakt een flesje ijskoud water uit de tas en drinkt met kleine slokjes. Ze is sterk, zij wel.

Er is weer twee ons af. Ben ik nu blij? Nee, ik ben niet blij. Ik word on-rustig van de mensen om me heen, ik heb stomme haren op m'n armen, en m'n tanden zijn supergevoelig. Het woord anorexia lijkt ineens toch op mij te slaan. Ik wil eigenlijk wel eens 'gewoon' zijn. Of misschien ook niet. Nou ja, in ieder geval wil ik echt naar een diëtiste. Ik meen het, ik wil het écht!

15

DE ZOMER HEEFT ZIJN PLAATS AFGESTAAN AAN DE HERFST, MAAR HET einde van september kenmerkt zich door dagen die met mist beginnen doch zonovergoten eindigen. De zon wordt wel bescheidener, trekt zich eerder terug en is minder fel. Aan de bomen ogen de bladeren vermoeid. Het donkere groen begint langzaam te verkleuren. Tirza komt van het toilet. Ze veegt in een gebaar dat al bijna vanzelfsprekend is met haar hand langs haar kin, voordat ze de kamer weer binnenkomt. Floris staat voor het raam. Zijn rug drukt iets uit waardoor ze onrustig wordt, een soort stilte voor de storm, woede en onbegrip. In de maand dat ze nu samen in deze flat wonen heeft ze hem goed leren kennen. Onder zijn rustige buitenkant blijkt een veel minder rustig mens te wonen.

'Heeft die diëtiste je dat ook verteld?' hoort ze hem nu zeggen.

'Wat?' vraagt ze, hoewel ze precies weet wat er nu gaat komen.

'Het voedsel dat je uiteindelijk met veel moeite naar binnen weet te werken, moet je zo snel mogelijk weer zien kwijt te raken door het uit te braken?'

'Dat rijmt,' giechelt ze nerveus.

'Zo grappig was het niet bedoeld. Hoe lang ben je nog van plan jezelf een rad voor ogen te draaien? Zie je echt niet waar je mee bezig bent? Je gaat naar een diëtiste die gespecialiseerd is in anorexiapatiënten. Je staat op de lijst voor therapie. Je beweert dat je er alles aan wilt doen om van deze eetstoornis af te komen en onderwijl ga je gewoon door. Je maakt een keurig eetdagboek, maar vertelt daar niet bij dat je de helft gewoon weer uitbraakt. Je denkt misschien dat je al die anderen kunt bedriegen, maar je bedriegt uiteindelijk jezelf het meest.'

'Ik doe mijn best. Je ziet toch dat ik m'n stinkende best doe maar ik ben soms zo bang dat ik zal worden wie ik niet wil zijn!'

'Je hoeft niet zo te schreeuwen. Ik weet wel dat je heel erg je best doet, maar momenteel lukt het niet zo. Wie wil je eigenlijk niet zijn?' Ga even zitten, Tir. Gewoon rustig zitten. Zal ik snel een potje thee zetten?'

Ze doet wat hij zegt en wordt langzaam rustiger. Hoe kan ze hem uitleggen dat ze zich waardeloos voelt? Ze probeert op school bij de rest te horen, maar ze wordt getolereerd. Zelfs Harald heeft nauwelijks belangstelling voor haar. Ze twijfelt aan haar capaciteiten. Laatst had ze een opdracht verknald waar ze heel veel tijd in had gestoken. Soms begrijpt ze de kritiek van de docenten niet. In het weekend is ze niet meer uit geweest, omdat Roy niets meer van zich had laten horen. Hij had haar ook gewoon kunnen zeggen dat zijn belangstelling voor haar niet gemeend was. Hij heeft haar waarschijnlijk een zielig geval gevonden. Ze zou die stemmen het zwijgen op willen leggen. De stem van de spiegel, de stem die ze in haar hoofd meedraagt. Ze ziet Floris met thee aankomen. Zelfs hem heeft ze teleurgesteld. Nee, ze kan het niet volhouden. Ze kan niet eten, ze krijgt het brood niet door haar keel, stikt bijna in een stukje vlees. Eten is angst.

'Als jij er niet was,' zegt ze met een glimlach.

'Dan zou je het zelf hebben gedaan. Je hoeft je nu even niet opgewekt voor te doen. Niet voor mij. Heb je over mijn vraag nagedacht?'

'Ik wil anders zijn,' merkt ze een beetje aarzelend op terwijl ze toekijkt hoe hij thee in mokken schenkt.

'Hoe anders?'

'Is het jou ooit opgevallen hoe het bij ons thuis ging? Op de een of andere manier mocht Kelly zich altijd in mijn moeders aandacht verheugen. Kelly maakte ook nog haar droom waar toen ze besloot verpleegkundige te worden.'

'Van jou begreep ze niets,' reageert hij nadenkend. 'Zelfs Jamina begreep ze nog beter.'

'Zo leek het in ieder geval vaak wel. Kelly en Jamina waren natuurlijk veel knapper dan ik...'

'Dat wil ik graag even rechtzetten. Dat zit in jouw hoofd.'

'Je weet wel dat het niet klopt wat jij zegt.'

'Je hebt het mooiste koperen haar van de wereld.'

Ze zucht en staat op om voor het raam te gaan staan dat uitzicht biedt op een grasveld waar kinderen voetballen. Eén meisje met zeven jongens. Het meisje weert zich kranig.

'Zo heb ik het dan inderdaad altijd aangevoeld. Alles wat Kelly deed was geweldig en toch was juist Kelly te beroerd om thuis ook maar een hand uit te steken. Als mijn moeder uit haar werk kwam zorgde ik ervoor dat de tafel gedekt en het eten klaar was. Ik vouwde en streek de was als zij er niet aan toekwam. Het was net of dat heel vanzelfsprekend was, maar als Kelly een keer de stofzuiger ter hand nam, werd ze bedolven onder lof en eer. Ik voelde me vaak onzichtbaar.'

'Nu ben je zichtbaar,' begrijpt hij.

'Nu ben ik anders, ik onderscheid me en plotseling ziet iedereen dat ik er ook nog ben. Misschien ben ik daarom bang om anorexia te overwinnen. Ze zullen weer door me heen kijken.'

'Je was allang anders.'

'Niemand leek dat te zien.'

'Ik wel,' zegt hij heftig.

Haar blik glijdt over zijn gezicht dat ernstig staat. 'Jij bent ook anders.'

'Eigenlijk was ik net zo onzichtbaar.'

Ze staart nadenkend naar buiten. Het meisje maakt een doelpunt voor haar voetbalviertal. De jongens staan er wat beteuterd bij.

'Ik had het idee dat je dat niet stoorde.'

Hij staat ook op. Hij gaat naast haar voor het raam staan waar het voetbalspel verder gespeeld wordt. Eén van de jongens steekt zijn voet uit als het meisje de bal heeft. Ze valt en zet het op een brullen.

'Niemand wil onzichtbaar zijn. Ik ben alleen zichtbaar als er een computerprobleem opgelost moet worden. Soms verbeeld ik me dat het anders is, maar meestal word ik keihard met de neus op de feiten gedrukt.'

'Hoe lukt het jou dan om staande te blijven?' wil ze weten.

'Ik maak me minder afhankelijk van de mening van anderen, want dat blijft jouw probleem. Je doet je uiterste best om aardig en leuk gevonden te worden. Vanaf het begin wist je eigenlijk wel dat die Roy niets voor je was. Toch blijf je maar hopen dat hij weer belt, want anders is dat het teken voor je dat je niet leuk bent. Je moet echt leren van jezelf te houden.'

'Ik weet niet eens of ik die opleiding wel vol kan houden. Hoe kan ik dan van mezelf houden?'

'Jij bent meer dan die opleiding. Jij bent Tirza met die prachtige, rossige haren en die bijzondere groene ogen. Ik geloof in je. Maak je dromen waar.'

Als ze naar hem kijkt, ziet ze dat hij tranen in zijn ogen heeft en het is heel vanzelfsprekend dat ze een arm om hem heen slaat. Stilletjes staan ze naar buiten te kijken. De kinderen onderbreken hun voetbalspel. Het meisje wordt hinkend, tussen twee jongens in, naar huis gebracht. Ze huilt niet meer.

De ingang van het gemeentehuis van Emelwerth is voorzien van veel glas dat toegang geeft tot de ruime hal waar zowel de receptie als de afdeling burgerzaken zich bevinden. Zita heeft zich aan het einde van de middag strategisch opgesteld zodat ze kan zien wie er naar buiten komt, zonder zelf direct opgemerkt te worden. De namiddagzon voelt aangenaam op haar gezicht. In de verte slaat een kerkklok zes keer. Ze verlaat haar plekje en loopt een eindje in de richting van het parkeerterrein dat in de loop van de tijd steeds leger is geworden. Haar handen voelen klam. Steeds weer herhalen Olafs vragen zich in haar hoofd. 'Kun je me misschien uitleggen waarom je alleen met mij wilt praten?'

'Het is beter,' had ze geantwoord maar daar nam Olaf geen genoegen mee.

'Kun je me dan vertellen waarom het beter is? Heb ik je iets misdaan of wil je iets kwijt over Annabel dat ze zelf niet mag horen?

Misschien zit dat me nog het meest dwars, Zita. Dat ik het buiten haar om moet afspreken. Zo zit ons huwelijk niet in elkaar.'

Het was eigenlijk een wonder dat hij uiteindelijk toch toegestemd had. Nu ze hier al meer dan een kwartier staat te wachten, vraagt ze zich af of hij toch van gedachten is veranderd. Misschien hadden ze gewoon beter in een restaurant af kunnen spreken. Ze had gedacht dat het minder stiekem leek als ze afspraken dat ze samen naar een restaurant zouden lopen. Het komt haar op dit moment voor als een belachelijke gedachte.

'Zita?' Hij komt met grote stappen op haar toegelopen, begroet haar met drie kussen. 'Sta je hier al lang te wachten? Er kwam op het laatste moment nog een telefoontje dat ik wel moest beantwoorden. Gek, we hebben elkaar al even niet gezien. Dat ben ik niet gewend. Kun je me daar straks ook antwoord op geven, denk je? Annabel heeft er nogal verdriet om. Een vriendschap van meer dan achtentwintig jaar die ineens bekoelt. Dat gaat niemand in de koude kleren zitten. Zeg, lopen we naar L'etage? Je kunt daar goed eten en je hebt een fraai uitzicht.'

Ze knikt, maar als ze naast hem in de richting van het restaurant loopt, heeft de twijfel alweer toegeslagen. Ze had niet moeten toegeven aan de druk van Wijnand. Praten met Olaf zal helemaal niets oplossen.

Als ze tegenover hem zit, voelt ze zich rustiger worden. Of het goed is of niet, er is geen weg terug. Olaf bestelt wijn en zij volgt zijn voorbeeld. Ze wil alles aangrijpen om het gesprek wat makkelijker te maken.

'Hoe is het met Annabel?' wil ze weten als ze de eerste slok heeft genomen. Ze ziet hoe Olaf zijn wenkbrauwen fronst. 'Om eerlijk te zijn heerst er in ons huis momenteel nogal wat spanning. Kenneth blijkt namelijk een vriendin te hebben waar wij, zachtjes uitgedrukt, niet blij mee zijn. Vooral Annabel heeft er grote moeite mee.'

'Wat is het probleem?'

'Ze is zestien jaar ouder dan hij.' Hij kijkt alsof hij zojuist iets onfatsoenlijks heeft gezegd.

'Er zijn ergere dingen,' waagt ze het te zeggen. 'Bovendien is het belangrijker dat ze van hem houdt. Is ze aardig?'

'We hebben haar nog niet ontmoet.' Ze kan aan hem zien dat hij zich ergert. Hij kijkt op zijn horloge, neemt een te grote slok van zijn wijn, bestudeert de menukaart en klapt die ook bijna direct weer dicht. 'Misschien moeten we nu maar ter zake komen. Zo heel veel tijd heb ik niet. '

Zita haalt diep adem. Ze probeert te denken aan wat Wijnand zei. 'Olaf zal er begrip voor hebben. Hij zal misschien denken wat ik ook dacht: waarom ben je er niet eerder mee gekomen? Uiteindelijk zal hij het begrijpen en daarna kunnen we er samen over praten. Het is best mogelijk dat het onze vriendschap verdiept als we er allemaal van weten.'

'Ik moet terug in de tijd,' begint ze wat aarzelend. 'Een heel eind zelfs, want ik wil praten over de periode toen wij samen iets hadden.' Met elk woord is het onbegrip in zijn ogen toegenomen. Zijn hele houding straalt het uit. De ober informeert of ze al een keuze hebben kunnen maken. Kortaf geeft hij zijn keuze door, zij sluit zich bij hem aan. 'Ik begrijp het niet,' merkt hij op als de ober zich bijna geluidloos heeft verwijderd. Zita heeft uitzicht op de halfopen keuken waar twee koks in de weer zijn, zoals ze ook vaak in televisieprogramma's ziet. Ze zou niet meer in Olafs spottende donkere ogen willen kijken. 'Waarom zouden we daar nu nog een woord aan vuil moeten maken? Zo belangrijk was dat toch niet? Bovendien heeft het maar kort geduurd.'

Dat laatste had hij niet moeten zeggen.

'Voor jou misschien niet, maar voor mij is het een heel belangrijke periode geweest. Jij was namelijk mijn grote liefde. Ik was jong en onervaren. Jij kwam, zag en overwon. Ik ging zelfs met je naar bed.'

'Dat is maar een keer geweest,' herinnert hij zich.

'Ik ben grootgebracht in de wetenschap dat je pas met elkaar naar bed gaat als je getrouwd bent. Wij draaiden de volgorde om, en dat deed ik omdat ik zielsveel van je hield. Weet je wat zo gek is? Ik weet de datum nog. Kun jij je die nog herinneren?'

'Nee, natuurlijk niet.' Hij grinnikt een beetje schamper. Ze laat zich er niet door van de wijs brengen. 'Het was op zaterdag, acht september van het jaar negentiennegenenzeventig, bij mij thuis. Mijn moeder was, geheel tegen haar gewoonte in, die avond weg. Ze was er vreselijk op tegen om ons alleen te laten, want ze zag jou er wel voor aan dat je van de gelegenheid gebruik zou maken. Weet je nog dat ze niets van je moest hebben? Dat je een nazaat van de advocatenfamilie Meyerink was, deed daar niets aan af. Ze kon je bloed wel drinken. Die avond moest ze naar een verjaardag van haar broer. Ik heb haar wijsgemaakt dat we naar jouw huis zouden gaan. We hebben op de hoek gewacht tot we haar weg zagen rijden en lagen daarna al heel snel in bed. Ik wist toen zeker dat onze liefde voor eeuwig was. Voor mij voelde het alsof ik op dat moment met je trouwde.' Ze haalt diep adem.

'Dat krijg je als je zo jong bent en jij was ook nog heel groen. Je moeder had je zo beschermd opgevoed. Ze moest trouwens ook niets van me weten. Zij vond het vast niet erg toen het uit was.'

'Toen jij het uitmaakte, bevestigde je al haar vooroordelen. Je was een onbetrouwbaar sujet en ik moest blij zijn dat ik je kwijt was. Zij was het in ieder geval wel en dat heeft ze me laten weten ook.'

'Ik dacht dat jij er ook niet zoveel moeite mee had.' Nu ziet ze iets van onzekerheid. 'Annabel en jij bleven gewoon vriendinnen. Dat is toch niet mogelijk als jij er wel moeite mee zou hebben?'

'Ik hield mezelf voor dat jullie veel beter bij elkaar pasten. Dat ben ik mezelf wijs blijven maken, zelfs toen...'

De ober brengt een mandje stokbrood en een schaaltje huisgemaakte pesto.

'Zelfs toen?' vraagt Olaf ongeduldig, zonder het mandje met inhoud ook maar een blik te gunnen.

'Zelfs toen ik zwanger was.'

'Zwanger?' herhaalt hij.

'Precies, ik verwachtte een kind van je en dat zorgde ervoor dat mijn moeder helemaal bevestigd werd in haar ideeën over jou. Je was een genotzoekend leeghoofd.' Haar stem is hees. Ze knijpt haar handen onder de tafel samen. 'Ze was woedend, ze heeft me zelfs geslagen en daarna heeft ze me verteld dat ik niet hoefde te denken dat het kind geboren zou worden.'

'Bedoel je dat ze wilde dat je het liet aborteren?'

Haar keel knijpt zich samen. Ze slikt en knikt.

'Zita, wat vreselijk... En je hebt het nooit verteld. Wist Wijnand het?' Ze schudt haar hoofd, probeert haar tranen tegen te houden. Ze bestudeert een stukje stokbrood terwijl Olaf het nieuws probeert door te laten dringen.

'Heb je daar al die jaren alleen mee geworsteld? Ik had al een hekel aan je moeder, maar dit... dit had ík zelfs niet achter haar gezocht. Ze was het toonbeeld van fatsoen en jou dwong ze tot een abortus?'

'Niemand mocht van mijn zonde weten, want zo hield ze me dat voor. Ik was slecht en zondig, en bovendien een schande voor mijn opvoeding.'

'En was het kind echt van mij?'

Ze staart naar hem alsof ze niet kan geloven dat hij die vraag werkelijk gesteld heeft.

'Ja, ik bedoel. In die tijd... we waren toch jong...' Hij stottert een beetje.

Ze staat op.

'Ik had het niet moeten zeggen. Het spijt me, Zita. Het ontglipte me.' Ze hoort hem niet meer. Tranen rollen over haar wangen als ze het restaurant uitloopt. Onophoudelijk veegt ze over haar wangen maar de tranen overwinnen. Misschien had haar moeder destijds toch gelijk en voorzag ze dat de advocatenfamilie Meyerink dit soort impertinente vragen zou stellen. Misschien heeft zij het altijd verkeerd gezien en had haar moeder haar destijds alleen maar deze vernedering willen besparen.

's Nachts ligt Zita met wijd open ogen in het donker te staren. De lantaarn bij de straat geeft een schraal licht door dat via een kier door de gordijnen de slaapkamer binnenglipt. Ze kan net het profiel van Wijnand onderscheiden. Hij had vanavond maar weinig gezegd, nadat ze hem van Olafs reactie had verteld. 'Ongelooflijk dat zeven woorden in staat kunnen zijn om het einde van zo'n jarenlange vriendschap in te luiden.' Dat had hij gezegd. Daarna hield hij haar stevig vast.

Ze heeft nog nooit zo veel van hem gehouden.

Tirza heeft de volgende morgen heel andere zaken aan haar hoofd als ze op school pauzeert.

'Jongens, ik trakteer!' Nanette komt met een dienblad vol broodjes naar hun tafel lopen. 'Jullie mogen kiezen welke jullie willen hebben. Het laatste broodje is voor mij.' Ze ploft naast Tirza op een stoel. 'Voor jou heb ik een sandwich met kaas meegenomen. Ik weet dat je niet veel eet, maar dit lust je toch wel?'

Vier paar ogen kijken haar verwachtingsvol aan. 'Heerlijk,' zegt ze terwijl ze het bordje van het blad pakt en voor haar neerzet. 'Waar hebben we dit aan te danken?'

'Ik ben gisteren geslaagd voor m'n rijexamen. In één keer.'

'En een les of vijftig zeker?' schat Daan.

'Mis, ik had er maar negenentwintig nodig.' Triomfantelijk kijkt ze de kring in de kantine rond. 'Ik kan je zeggen dat ik dolblij was, want het is knap duur en ik heb geen ouders die me sponsoren.'

Tirza drinkt een slokje thee uit het kopje dat ze even daarvoor zelf gehaald heeft. 'Ik heb ook niet van die ouders,' zegt ze. 'Ze vinden dat ik zelf aan het werk moet, maar ik heb er niet eens tijd voor. In de weekenden ga ik bijna nooit meer uit, ik ben heel vaak tot 's avonds laat nog voor school bezig.'

Vanuit haar tas klinkt het opgewekte riedeltje dat haar vertelt dat ze een sms-bericht heeft.

Anderen vallen haar bij, maar zij is met haar gedachten niet langer bij het gesprek. Op het schermpje signaleert ze een onbekend nummer en als ze het bericht opent, valt haar blik direct op zijn naam. Niet meer verwacht en nu plotseling laat hij weer van zich horen: Roy.

'Ha Tirza. Zien we elkaar zaterdagavond in discotheek Lahara? Ik ben er rond elven.'

Ze leest en herleest het bericht terwijl haar hart vreugdevol slaat. Hij wil haar zien, hij is haar niet vergeten. Hij laat haar niet vallen, zoals Floris beweert, en hij vindt haar dus nog wel de moeite waard.

'Moet jij niet eten?' informeert Nanette terwijl ze een hap van haar broodje zalm neemt.

'Ik moet even m'n sms'je beantwoorden.' Het gesprek rondom haar glijdt langs haar heen terwijl ze snel woorden intoetst. 'Waarom zou ik daar zijn? Ik heb al heel lang niets meer van je gehoord.'

Hij moet niet denken dat ze op hem zit te wachten. Ze laat haar mobieltje op tafel liggen als ze het berichtje heeft verstuurd. Op een schotel voor haar ligt de sandwich geduldig te wachten tot ze eraan begint. Nanette kijkt haar aan. Ze neemt de sandwich in haar hand, wil er een hap van nemen, gewoon net zoals de anderen doen. Haar hele lichaam steigert. Haar maag speelt op, de angst knijpt haar keel dicht. Ze trekt een klein stukje van de sandwich. Nanette knikt haar bemoedigend toe. Haar vingers verkruimelen het kleine stukje brood. 'Je was allang anders,' had Floris haar laatst voorgehouden en ze steekt een paar kruimels in haar mond. Haar anorexiastem laat zich ook gelden. 'Floris zegt maar wat omdat hij medelijden met je heeft. Je bent helemaal niets als je eet. Heb je gezien hoeveel boter er op die boterham zit? Het glijdt tussen je vingers en je zult nog meer vet op je heupen krijgen. Je bent echt helemaal niets bijzonders en al helemaal niet als je deze sandwich wegwerkt. Laat zien dat je dit kunt weerstaan. Dan ben je iemand!'

Ze kijkt van Nanette weg en is blij als het geluid van haar mobiele telefoon aangeeft dat er opnieuw een sms-bericht voor haar is.

Je hebt gelijk. Duizendmaal excuses. Ik heb het ook zo druk gehad, maar ik *mis je en ik wil je heel graag zien. Please? Zaterdagavond tegen een uur of elf in Lahara?'*

'Yes!' Ze steekt de sandwich dwars in haar mond en trekt een raar gezicht terwijl ze met haar armen zwaait.

'Tirza krijgt ergens last van,' merkt Daan op. 'Denk je dat het besmettelijk is?' Iedereen lacht. Haar lach komt er bovenuit.

Ze legt de sandwich terug op de schotel, nadat ze er een heel klein hapje van heeft genomen. Niemand heeft in de gaten dat ze die sandwich gewoon niet naar binnen krijgt. Iedereen verslijt haar op dit moment voor geestig. 'Ik heb een afspraak met een heel leuke jongen,' verklaart ze terwijl haar kiezen dat heel kleine stukje brood vermalen. Het is vervelend dat Nanette haar zo oplettend blijft aankijken. Ze neemt een slok water en pakt dan haar mobiel om Roys bericht te beantwoorden.

'Dan zal het wel niet besmettelijk zijn.' Daan rolt met zijn ogen. 'Jongens, we moeten zo weer aan de bak. Ik ga buiten nog even een frisse neus halen. Tot zo!'

Ze kijkt niet op terwijl ze Roy razendsnel antwoordt dat ze van de partij zal zijn. Haar andere klasgenoten volgen het voorbeeld van Daan. Alleen Nanette blijft zitten. Haar bleke gezicht, onder het pikzwart geverfde haar, blijft naar haar toegewend, alsof ze niets wil missen.

'Wat kijk je nou?' Een envelopje in haar beeldscherm geeft aan dat haar antwoord aan Roy naar hem onderweg is.

'Ik wil even wachten tot je gegeten hebt, anders zit je hier zo ongezellig in je eentje.'

Alles aan Nanette is zwart. Haar haren, haar kleding, haar nagels en de strepen rond haar ogen. Ogen die opvallen doordat ze helder blauw zijn.

Op haar schotel lijkt de sandwich steeds groter en vetter te worden.

'Ik geloof in je.' Ze probeert die woorden van Floris op te roepen en die andere stem het zwijgen op te leggen. Met haar handen trekt ze opnieuw een stukje van de sandwich af en voor ze zich kan beden-

ken, stopt ze het in haar mond. Daar maalt ze het rond tot het haar lukt om het door te slikken. Nanette doet alsof ze het niet ziet. 'Ik geloof in je.' Ze steekt weer een stukje in haar mond. De boter glibbert tussen haar kapotte tanden, maar opnieuw weet ze het weg te werken. Ze wil dit. Ze wil genezen van haar anorexia. Ze wil deze studie, ze wil een toekomst. Roy vindt haar leuk. Roy wil haar zaterdagavond zien. Ze is leuk. De partijen blijven in haar hoofd strijden maar ze probeert de anorexiastem te verslaan. Haar kaken vermalen eindeloos de kleine stukjes brood. Als de volgende les begint, heeft ze kans gezien om de helft op te eten.
Ze gaat zelfs niet naar het toilet.

Ik ben goed bezig. Vanmorgen heb ik een boterham en een mandarijn gegeten. Eerst at ik muesli maar ik voelde me dan zo dik dat ik naderhand gewoon echt naar de wc moest om het uit te braken. Dit gaat beter. Vandaag op school zelfs een halve sandwich met kaas naar binnen gewerkt. Nu komt het mooiste: Roy heeft me een sms gestuurd. Zaterdagavond gaan hij en ik naar Lahara. Hij heeft me gemist. Hoera!

16

'Meen je dat echt?' Floris kijkt haar ongelovig aan. 'Heb je voor vanavond echt weer met die knul afgesproken? En dat vertel je me nu pas?'

'Ik wist wel hoe je zou reageren, maar ik zou niet weten waarom ik niet met Roy af zou spreken. Hij vindt me leuk. Hij sms't me toch niet voor niets?' Ze kijkt hem uitdagend aan terwijl ze een boterham tussen haar vingers verkruimelt. 'Je hebt er trouwens niets mee te maken. Je bent m'n vader niet.'

'Nee, dat weet ik wel. Maar ik dacht dat we het er laatst over gehad hadden. Die jongen heeft je gewoon laten stikken. Het ging niet voor niets slecht met je. Ik ben bang dat hij je weer kwetst.'

'Ik word heus niet...'

'Wees toch eens eerlijk. Als hij je laat stikken, ben jij nergens meer. Je probeert dat wel met een grote mond te overschreeuwen, maar je bent echt nergens meer.'

'Ik kan me nooit rotter gaan voelen dan ik me nu voel.'

Hij kijkt haar geschokt aan. 'Meen je dat nou? Ik dacht dat ons gesprek van vorige week je had opgelucht. Je hebt keurig je schema's ingevuld, je at zelfs een boterham en fruit bij het ontbijt.'

'Ik doe het helemaal niet goed. Ik doe het waardeloos, al weet ik echt wel iets naar binnen te proppen.' Ze trekt de mouwen van haar shirt over haar bleke handen. 'De diëtiste geeft me complimenten, omdat ik iets ben aangekomen. Waarschijnlijk zou ik blij moeten zijn, maar ik vind het vreselijk. Ik zou er niet meer heen willen. Ze snapt hele- maal niks van me. Volgens haar gaat het goed, en dan moet ik over een poosje ook nog in therapie.'

'Misschien gaat het juist beter als je over je gevoelens kunt praten.'

'Met iemand die allerlei dingen van me wil die ik niet wil?'

'Misschien leer je daar wat je wel en niet wilt. Dat is toch belangrijk?'

Hij schuift wat dichter naar haar toe, legt heel voorzichtig zijn hand op haar bovenarm. 'Heb nou toch een beetje vertrouwen in jezelf. De familiepuzzel is misschien uit elkaar gevallen maar onze stukjes passen steeds beter in elkaar. Weet je dat ik hartstikke trots op je ben?' De druk op haar bovenarm wordt sterker. 'Echt, Tirza. Ik meen het. Ik vind je te gek en ik hoop dat er een dag komt dat je blij met jezelf bent.'

'Doe niet zo raar,' zegt ze een beetje verlegen, maar ze is blij dat hij het zegt. Hij grijnst. 'We moeten natuurlijk niet te sentimenteel worden. Zal ik maar een kop thee voor je zetten?'

Ze kijkt hem na als hij naar de kleine keuken loopt. Op z'n smalle jeans draagt hij een aansluitend zwart shirt. Floris draagt vaak zwart, net als Nanette. Ze zouden goed bij elkaar passen wat uiterlijk betreft.

Soms zou ze willen dat ze verliefd op Floris kon worden en het zou mooi zijn als dat wederzijds was. Ze zouden zo goed bij elkaar passen, maar het enige wat ze voor Floris voelt is warmte. Misschien wel meer warmte dan ze voor Kelly voelt, of verbeeldt ze zich dat alleen maar? Voor Floris hoeft ze zich nooit beter voor te doen.

'Om op vanavond terug te komen,' merkt hij op als hij met de thee terug is. 'Laat je alsjeblieft niet kwetsen door die knul.'

Ze wil hem zeggen dat het niet zo eenvoudig ligt en dat ze geen idee heeft hoe ze zich daartegen moet wapenen. 'Ik doe m'n best,' antwoordt ze in plaats daarvan.

'Niemand heeft het recht om jou te kwetsen,' zegt Floris heftig. Ze zou echt willen dat ze verliefd op hem kon worden.

Hij is er niet!

Tirza heeft zich stipt aan de afgesproken tijd gehouden. Verloren staat ze naast de dansvloer, nadat ze hem eerst bij de bar heeft gezocht. Hij is nergens te vinden. Roy is er niet. Nu heeft ze er spijt van dat ze het aanbod van Floris om haar vanavond te vergezellen, heeft afgewimpeld. Ze voelt zich hier staan. Iedereen zal weten dat haar afspraak niet is komen opdagen. Niemand gaat hier toch vrijwillig in z'n eentje staan? Lijkt het zo of wordt er meewarig in haar richting gekeken? Kijk haar, met dat mooie glitterhemdje en die zwart opgemaakte ogen. Ze staat daar te koketteren, maar niemand die het opmerkt. Zie haar staan, zie haar staan...

Langzaam loopt ze terug naar de bar, en blijft dan plotseling als door de bliksem getroffen staan. Roy is daar. Hij heeft haar niet in de gaten en is in druk gesprek gewikkeld met een meisje dat te dicht bij hem staat.

Ze heeft lange blonde krullen die ze steeds met een hautain gebaar naar achteren zwiept. Ze staat niet gewoon, maar koketteert en Roy is daar duidelijk gevoelig voor. Hij fluistert iets in haar oor. Ze giechelt en doet een stapje naar voren. Hij legt zijn hand op haar rug. Zij legt de hare op zijn been.

'Laat je alsjeblieft niet kwetsen door die knul,' zei Floris vanmiddag nog, maar hoe moet ze dat dan doen? Moet ze dan nooit meer met een jongen afspreken? Spelen alle jongens een spel en lachen ze haar uiteindelijk uit omdat ze toch niet de moeite waard is, omdat ze niet leuk is?

'Ik hoop dat er een dag komt dat je blij met jezelf bent.' De woorden van Floris omringen haar.

Roy kijkt in haar richting. Ze duikt weg achter de rug van een ander, voelt zich kwetsbaar en onhandig.

'Ik vind je te gek.' Dat was wat Floris zei. Ze is niet verliefd op hem, maar hij is wel de enige echte vriend in haar leven. Hij is de enige die niet om haar lacht. 'Weet je dat ik hartstikke trots op je ben?' Ze herhaalt die woorden zachtjes en bestelt een flesje water. 'Laat je alsjeblieft niet kwetsen door die knul.' Haar mond vormt geluidloos woorden en als Roy nog eens in haar richting kijkt, recht ze haar rug en vangt onverschrokken zijn blik. Het doet haar goed om te zien hoe hij schrikt en het meisje, dat net aan zijn oorlel begint te sabbelen, van zich afduwt. Hij komt op haar af. 'Het is niet wat je denkt,' zegt hij.

'En wat denk jij dat ik denk?' Ze giet het flesje leeg in haar glas en neemt een slok. Haar ogen blijven op zijn gezicht gevestigd. Haar

zelfvertrouwen neemt evenredig toe met de mate van zijn verwar-
ring.

'Ik dacht dat je er niet was want ik zag je niet en Gina...'

Ze neemt nog een slok en wacht tot hij zijn verhaal zal vervolgen.
Gina loopt in hun richting. 'Roy?'

Hij kijkt even om en net als hij zijn gezicht weer terugdraait, gooit
ze de inhoud van haar glas in zijn richting. 'Dit is wat ik denk,' zegt
ze. 'En ik vind het eigenlijk jammer van het water, want je bent het
niet waard.'

Als ze met geheven hoofd wegloopt, hoort ze achter zich verontwaardigde kreten van Gina, maar er wordt ook hard gelachen.

Bij de uitgang haalt ze haar jas, maar voor ze op de fiets stapt, toetst
ze het nummer van Floris' mobiel in. Ze heeft zich niet door Roy
laten kwetsen. Het is belangrijk dat hij dat weet.

De weg van de discotheek naar Emelwerth is lang en in het donker
lijkt de afstand nog groter. Haar fiets kraakt bij elke trap die ze doet,
de voorlamp knippert. Haar eigen schaduw haalt haar steeds weer in,
net zoals de auto's op de weg ernaast die haar af en toe passeren. Om
deze tijd is er niet veel verkeer meer. De stilte valt haar op. Stilte die
er op de heenweg niet was.

Haar vader had aangeboden haar te brengen, maar daar had ze niet
van willen horen. Hij had genoeg aan zijn hoofd. Op de een of andere manier was er een verkilling opgetreden in de vriendschap tussen
haar ouders en oom Olaf en tante Annabel. Niemand wilde erover
praten. Volgens Floris was dat tekenend voor hun verhouding. De
jarenlange vriendschap was het glanzende oppervlak waaronder
allerlei onvrede borrelde die onbespreekbaar was. Het glanzende
vernis had inmiddels behoorlijk aan schoonheid ingeboet.

Floris wist het altijd mooi te omschrijven.

Tirza trapt zich door de stilte en duisternis heen. Langzaam maar
zeker verdwijnt het gevoel van euforie dat er even was toen ze hem
had gebeld. 'Ik heb me niet laten kwetsen,' had ze gezegd, maar nu

dringt het tot haar door dat het niet waar is. Roy had haar tot in het diepst van haar ziel gekwetst. Ze had het alleen dit keer niet op zich laten zitten.

Waarom had Roy eigenlijk met haar willen afspreken? Het is toch duidelijk dat hij haar niet de moeite waard vond? Als hij echt verliefd op haar was geweest, was hij niet met een Gina gaan flirten omdat hij haar niet zo snel ontdekte. Zou er ooit een jongen komen die haar wel de moeite waard vindt?

De weg lijkt eindeloos en ze wordt moe van de gedachten die haar naar beneden willen trekken in de richting van de afgrond waarin ze niet terecht wil komen.

Haar benen trappen steeds langzamer. Ze zou willen dat ze hier niet alleen fietste, dat het niet zo donker was. De duisternis is dreigend, of ligt dat aan haar eigen gedachten? In de verte ontwaart ze de lichten van Emelwerth. In de stilte dringt haar eigen hijgende ademhaling tot haar door.

Ze probeert te denken aan de lach van Floris, aan de manier waarop hij waarderend 'Super gedaan,' had gezegd. Het sierde hem dat hij haar niet had ingewreven dat hij haar wel gewaarschuwd had. Zo was Floris. Een wereldvriend.

Achter haar rijdt een auto over de weg, langzamer dan de andere auto's die haar al eerder passeerden. Het valt haar pas op als hij vlak naast haar nog meer inhoudt. Voor ze kan reageren, schiet de auto ineens de berm in, het fietspad op, om vlak voor haar tot stilstand te komen. Ze wil gillen, maar er komt geen geluid.

'Wat was dat nou voor idiote actie?' Roy opent het portier op het moment dat ze langs hem heen wil glippen. 'Hé kleintje, we kunnen er toch wel even over praten?'

'Ik heb geen behoefte om erover te praten,' zegt ze. Haar lichaam beeft. Ze houdt zich stevig aan het stuur van haar fiets vast.

'Kom op, het was een misverstand. Je gaf me de kans niet om het uit te leggen. Waarom reageerde je nou zo overtrokken?'

'Ik zag toch wat je deed?'

'Wat zag je dan? Vertel het me eens? Stond ik die meid te zoenen?'
'Ze stond heel dicht tegen je aan,' zegt ze aarzelend.
'Dat gebeurt in een discotheek wel vaker. Bovendien stond zij tegen mij aan. Ik had er niet om gevraagd. Zal ik het je uitleggen? Gina is een vriendinnetje van mij van vroeger dat maar niet kan begrijpen dat ik haar niet meer hoef. Elke keer als ik haar tegenkom, dringt ze zich aan me op. Dat is wat je vanavond zag. Je had Gina dat water in haar gezicht moeten gooien. Zij was de schuldige, niet ik.'
Ze klemt haar handen om het stuur van haar fiets.
'Nou, draaien we weer samen om?'
Ze aarzelt even. Ineens lijkt het overtrokken wat ze heeft gedaan. Het is weer typisch iets voor haar. Ze mag nog blij zijn dat hij de moeite heeft genomen om achter haar aan te gaan.
'Kom op, liefje. Ik heb Gina naar huis gestuurd. Ze vond het niet leuk maar ik heb nog zoveel overwicht dat ze gewoon doet wat ik zeg.'
Misschien is het de arrogante manier waarop hij dat naar voren brengt, alsof hij er zeker van is dat Tirza met hem mee zal gaan. Misschien is het de manier waarop hij zich aan haar opdringt. In ieder geval weet ze weer dat het anders is gegaan: hij had zijn hand op Gina's rug gelegd, en toen zij haar hand op zijn been legde, wekte hij niet de indruk dat heel vervelend te vinden.
'Misschien moet je Gina je excuus maar aanbieden.' Ze probeert hooghartig te kijken. 'Ik ga in ieder geval niet meer met je mee.'
'Dat meen je toch niet?' Hij grijnst ongelovig. 'Kom op, zeg. Je wilt toch niet echt de gekwetste schoonheid spelen? Zo mooi ben je nu ook weer niet. Wees blij dat ik achter je aan ben gekomen. Voor jou staan ze echt niet in de rij.'
Ze haalt diep adem. 'Ik denk dat jij ook geen volle zalen trekt,' waagt ze het op te merken. 'Ga het nog eens proberen. Ik laat mijn kans graag voorbij gaan.'
Hij moet haar hart bijna horen bonzen. Zou hij zien dat ze bijna van haar fiets valt als ze op wil stappen? Haar benen trillen zo dat ze geen

kracht kan zetten. Met de moed der wanhoop weet ze toch langs hem heen te komen. Hij lijkt geen weerwoord te hebben.

Pas als ze een heel eind verder is, hoort ze zijn auto starten.

De lichten van Emelwerth zijn al veel dichterbij gekomen als haar een fietser tegemoet komt. Ze let er niet op, zwoegt hijgend verder op een weg die vanavond zonder einde lijkt. De fietser houdt in. Het valt haar niet op. Pas als de fietser stopt op het moment dat ze elkaar passeren, schrikt ze van zijn remmen.

'Floris!' Ze wil lachen maar eindigt in een huilbui. Hij wacht stilletjes tot ze wat rustiger is geworden.

'Ik was bezorgd,' meldt hij dan. 'Mannen als Roy zijn in hun gekwetstheid tot veel in staat. Ik was doodsbang dat ik te laat zou komen. Mijn ouders hadden de auto mee en ik moest eerst de band van deze fiets oppompen.'

'Mannen als Roy zijn zielig,' zegt ze terwijl ze haar tranen droogt. 'Ze menen dat de wereld alleen om hen draait.' Ze wil nog veel meer zeggen maar als ze naar Floris kijkt, besluit ze dat ineens niet te doen. 'Roy weet nu wel dat mijn wereld niet om hem draait,' zegt ze alleen. 'Mijn wereld draait om jou.' Dat laatste zegt ze zachtjes, zo zacht dat Floris haar niet verstaat.

Hij kijkt haar vragend aan. Ze lacht. 'Laten we maar naar huis gaan. Morgenochtend moeten we weer op tijd in de kerk zitten.'

Hij protesteert niet eens.

Aan het einde van de volgende week waagt Annabel eindelijk de stap. De middag is al een flink eind op weg als ze wat beschroomd op de bel drukt van huize Kolthoorn. Het is de eerste keer dat ze hier aanbelt en het voelt vreemd.

Er klinken voetstappen op het lichte parket in de gang. Zita's voetstappen. Nu twijfelt ze ineens of ze haar komst niet eerst telefonisch had moeten aankondigen. Zet ze Zita op deze manier niet voor het blok?

'Annabel?'

Ze had zich afgevraagd hoe ze Zita zou moeten begroeten. Zou ze haar in de armen moeten vallen of juist wat reserve moeten tonen? Nu ze het gezicht van Zita ziet, is het haar duidelijk dat ze voor de laatste optie moet kiezen. 'Ik zou graag even met je willen praten,' zegt ze.

'Wijnand is er niet.' Het klinkt net niet vijandig, maar ook zeker niet uitnodigend.

'Misschien is het juist goed als wij samen eens praten. We hadden dat waarschijnlijk veel eerder moeten doen.'

'Er valt niet zoveel meer te praten.'

'Voor jou misschien niet, maar voor mij wel. Geef me in ieder geval die kans, Zita.'

Zita lijkt nog even naar een uitvlucht te zoeken, maar dan opent ze met een zucht de deur. 'Kom er maar in.'

'Ik hoorde van Tirza dat je overspannen bent,' valt Annabel met de deur in huis nadat ze is gaan zitten en Zita's aanbod voor een kop koffie heeft afgeslagen. Als ze haar vragende gezicht ziet, informeert ze. 'Tirza heeft niet verteld dat ze afgelopen weekend bij ons is geweest?'

'Ik heb er iets over gehoord. Floris en zij zijn erg op elkaar gesteld geraakt, heb ik begrepen. Hopelijk doet het Tirza goed.'

Annabel neemt haar belangstellend op. 'Ik heb begrepen dat Tirza binnenkort echt met therapie begint?'

'Ik durf het soms niet meer te geloven.' Zita's stem klinkt vlak. 'Tirza heeft me al zoveel op de mouw gespeld. Volgens Wijnand moet ik positief blijven. Het mocht wat. Er is nogal wat om positief over te blijven.'

'In ieder geval is het beroerd voor je dat je overspannen thuis zit.' Annabel doet echt haar best om het warm en hartelijk te laten klinken.

'Overspannen, het mocht wat. Ik noem het gewoon het gevolg van een oneerlijk spel dat er gespeeld werd. Ik kan het niet bevatten dat er na al die jaren zo'n einde aan komt. Ik kon er niet tegenop, ik liep erin vast.' Ze zucht. 'Misschien was het anders gelopen als ik geen dochter met anorexia had. Maar dat heb ik wel en niemand kan zich voorstellen hoe dat voelt. Praten tegen een muur. Steeds weer geloven in leugens en ontdekken hoe je er weer met open ogen ingetuind bent. Ik schaamde me voor m'n eigen dochter. Ik schaam me voor mezelf. Het voelt alsof ik aan alle kanten tekort ben geschoten.' Er valt een stilte.

Annabel schraapt haar keel maar zwijgt toch nog even. Ze kijkt naar Zita en ontdekt trekken van Tirza. Dan trekt ze de stoute schoenen aan. 'Komt het door je overspannenheid dat die kwestie van vroeger je parten ging spelen of was het andersom?'

Zita zendt haar een felle blik en even is Annabel bang dat ze kwaad wordt, maar haar boosheid lijkt direct weer weg te ebben. 'Wie zal het zeggen? In ieder geval was het pijn van jaren die ik nooit met iemand heb gedeeld. Die pijn veroorzaakte schuldgevoel. Misschien was het alles bij elkaar. De pijn, Tirza, m'n werk.'

'Waarom wilde je dat Olaf het nu zou weten?'

'Wijnand wilde het. Hij meende dat het goed was en Wijnand vond ook dat hij anders onze vriendschap niet voort kon zetten. Onze vriendschap is een leugen geweest, zegt hij.'

'Onze vriendschap niet, maar jouw leven wel.' Annabel legt nadruk op haar woorden. 'Ik vind het vreselijk dat je al die tijd met zoveel verdriet hebt geleefd en het niet hebt durven delen. Aan de andere kant voelde ik me verraden. Er is iets tussen jou en Olaf geweest waarvan ik niet wist.'

'Zo voelde Wijnand dat ook. Hij heeft tijd nodig gehad om het te begrijpen. We hebben veel gepraat.'

'Net als Olaf en ik. We hebben tegen elkaar gezegd dat we dat als een positief neveneffect kunnen zien. In jaren hebben we niet zoveel met elkaar gedeeld.' Zita kijkt op. Hun blikken kruisen elkaar en blijven in elkaar hangen. 'Wil je misschien toch een kopje koffie?' biedt Zita nog eens aan, en nu accepteert Annabel het aanbod wel.

Het is anderhalf uur en drie koppen koffie later als ze eindelijk uit-gepraat zijn. 'Olaf komt ook nog,' verklapt Annabel. 'Hij wil z'n excuus aanbieden voor die stomme opmerking van hem. Uiteraard heeft hij eerst geprobeerd om mij zover te krijgen om dat voor hem te regelen, maar daar ben ik niet ingetrapt. Je hebt hem daar overi-gens bij L'etage mooi laten zitten. Ik heb hem hartelijk uitgelachen.' Een beetje spijtig staat ze op. 'Het wordt tijd om naar huis te gaan. Kenneth komt straks met z'n vriendin eten.'

'De vriendin die...?' Zita durft haast niet verder te vragen.

'Ja, Magda is zestien jaar ouder, maar ze zijn dol op elkaar en daar gaat het maar om.'

'Er zijn veel belangrijker dingen in het leven om je druk over te maken.' Zita kan een glimlach niet onderdrukken.

'Dat zei Olaf ook al. Ik denk dat we binnenkort maar eens een eten-tje moeten organiseren om kennis te maken.'

'Leuk,' zegt ze, en ze meent het.

Het gebouw waarin de kunstacademie is gehuisvest, is in de afge-lopen maanden bekend terrein geworden en tegelijkertijd blijft het voor Tirza een bron van onzekerheid.

Ze fietst mee met de stroom studenten, zwaait de bocht om zonder haar hand uit te steken, net zoals al die anderen doen. Haar hart bonkt zo dat ze het idee heeft dat haar medestudenten het kunnen horen, maar er is niemand die aandacht aan haar besteedt. Voor haar rijst het schoolgebouw al op. Ze zou het vandaag nog even willen uitstellen. Ze zou verder willen fietsen, het gebouw en haar onze-kerheid voorbij. Haar adem vormt voor het eerst deze herfst wolkjes. Ze kan niet anders dan het trottoir oprijden, weet nog net een klas-genoot te ontwijken die een verontwaardigde schreeuw laat horen. Ze steekt haar hand op in een verontschuldigend gebaar terwijl ze weet dat het niets zal uitmaken. De blik blijft verontwaardigd. Straks zal haar gedrag breed uitgemeten worden bij de anderen. 'Die Tirza denkt dat ze alles mag...'

'Jij laat niemand toe,' had een klasgenoot van de week gezegd, terwijl ze haar werkstukken voor de presentatie van vandaag had opgesteld in het lokaal.

Ze had gedaan alsof ze het niet had begrepen, hautain haar schouders ophalend.

Pas in de flat bij Floris had ze erom gehuild.

'Toch heeft ze best gelijk,' had hij haar heel voorzichtig voorgehouden. 'Je durft je nooit kwetsbaar op te stellen. Jij maakt de indruk dat je het allemaal kunt, dat je zelfs arrogant bent. Ik weet wie er onder die houding zit. Aan mij laat je zien wie je werkelijk bent, maar anderen stoot je af met je zogenaamde zelfverzekerde houding.'

'Ik probeer het toch?'

'Wat probeer je? Je probeert iedereen zand in de ogen te strooien.'

Hij had zijn voorzichtige houding laten varen en bij Floris schrok ze daar altijd van. Floris viel haar bijna nooit af. Hij bleef in haar geloven. Als hij zulke dingen zei, maakten ze haar onrustig.

'Ik probeer het echt,' deed ze nog een poging. 'Ik ontbijt toch met een boterham met kaas, dat zie je toch?'

'Je kunt mij geen zand in de ogen strooien zoals je dat bij je ouders doet. Ik weet waar je mee bezig bent en nu we het daar toch over hebben, kan ik het ook maar beter vertellen.'

Eigenlijk wist ze wel wat hij zou gaan zeggen en toch schrok ze toen hij daadwerkelijk zei: 'Ik ben op zoek naar andere woonruimte. Ik heb er genoeg van om me voor jou verantwoordelijk te voelen. Als jij je wilt uithongeren, prima. Maar niet waar ik bij ben. Volgende maand kan ik waarschijnlijk een kamer krijgen van een klasgenoot die met zijn studie stopt.'

Nu ze er weer aan denkt, lijkt haar hart uit haar borstkas te springen. Haar keel wordt dichtgeknepen. Floris mag niet weggaan. Wat moet ze zonder Floris?

Natuurlijk heeft hij gelijk, maar ze kan niet anders. Brood blijft eindeloos in haar mond malen, een stukje vlees weigert zich gewoon weg te laten slikken. Met elke maaltijd krijgt ze het gevoel dat ze stikt, met elke hap die ze doet, neemt haar angst toe.

Achter de andere studenten aan loopt ze naar binnen terwijl ze probeert haar ademhaling onder controle te krijgen. 'Je gaat maar,' had ze tegen Floris gezegd. 'Als jij denkt dat het beter voor je is om in je eentje op een kamer te zitten, moet je het gewoon doen.'

Ze had gehoopt dat hij terug zou krabbelen.

'Ik doe het zeker,' had hij gezegd en daarna had hij over andere dingen gepraat. Het onderwerp was niet meer ter sprake geweest de afgelopen dagen, maar het was tussen hen blijven hangen.

'Ha Tirza, zie je het een beetje zitten voor vandaag?' Daan komt naast haar lopen. 'Ik moet je bekennen dat ik best nerveus ben. Ik kan het wel allemaal mooi vinden wat ik heb gemaakt, maar die docenten kunnen er wel heel anders over denken.'

'Het zal best goed komen. Je weet toch van jezelf wat je waard bent?' Ze probeert het luchtig te zeggen en ze hoort zelf dat het arrogant klinkt.

'Of die docenten weten wat ik waard ben, daar gaat het om,' meent Daan. 'In ieder geval wens ik je succes.' Hij loopt naar de koffieautomaat waar ze nu Nanette en Harald ook ontdekt. Ze ziet wel dat ze in haar richting kijken nadat Daan iets heeft gezegd.

'Jij laat niemand toe...' Het was Nanette die het deze week had gezegd en ze had het goed gezien. Ze is doodsbang voor deze dag, voor het oordeel van de docenten over haar werk. Ze is doodsbang, maar laat dat aan niemand zien.

Met trillende knieën loopt ze ook in de richting van de koffieautomaat, zoekt naar kleingeld en neemt een kop heet water waar ze even later een theezakje doorheen sleurt. Het water krijgt kleur. 'Ik ben ook zenuwachtig,' zegt ze als ze zich even later bij de anderen aansluit.

'Ja, ja...' Harald snuift.

'Ik hoorde je net iets anders zeggen,' merkt Daan op.

'Gelukkig dat jij ook eens nerveus bent,' reageert Nanette een beetje spottend, om vervolgens verder te gaan met haar verhaal over het laatste tweedimensionale werkstuk waaraan ze nog tot 's avonds laat gewerkt had.

Zij staat erbij en toch erbuiten. Als ze een slok van haar thee neemt, brandt ze haar tong.

Het is uren later als ze al haar werkstukken op de fiets tracht te sjorren, terwijl ze vecht tegen haar tranen. Rondom haar wordt gepraat en gelachen.

'Ga jij vanavond ook nog mee als we in de stad samen iets gaan drinken?' wil Daan weten. Hij legt heel even zijn hand op haar schouder, een gebaar van troost. 'Geef het niet op, meid. Ik weet zeker dat je het kunt.'

Het gebaar ergert haar alleen maar. Zij zou het niet nodig moeten hebben. Zij niet.

'Ik zie wel,' antwoordt ze onwillig terwijl ze een plastic tas aan haar stuur hangt met de houten figuren die haar zoveel tijd en energie hebben gekost. Zelf was ze tevreden met de kop die ze had gemaakt en die uit twee gezichten bestond. Floris vond het ook mooi en toch...

Ze wrijft met haar mouw langs haar neus en wacht tot haar klasgenoten vertrokken zijn.

'Je hebt het natuurlijk prachtig gemaakt,' had haar docent gezegd toen ze eindelijk aan de beurt was. 'Net zoals al die andere werkstukken. En toch kan ik er geen voldoende voor geven. Je neemt het te letterlijk, je bewandelt de veilige weg. Ik zie geen gevoel. In feite weerspiegelen jouw werkstukken de Tirza Kolthoorn die ik de afgelopen maanden heb leren kennen. Net zo min als jijzelf, laten ook je werkstukken iets van de mens Tirza Kolthoorn zien.'

Ze probeert op haar overvolle fiets te stappen maar valt bijna. De trapper schampt haar scheen. Woedend schopt ze tegen het voorwiel. Wat wil iedereen toch van haar? Waarom zegt iedereen de laatste tijd steeds hetzelfde? Opnieuw stapt ze op de fiets en nu lukt het haar wel, maar als ze op de kruising linksaf slaat, ziet ze een auto over het hoofd. De bestuurder kan haar nog net ontwijken. Hij drukt verontwaardigd op de claxon. Het dring niet eens tot haar door. Heftig trappen haar voeten op de pedalen, maar ze fietst niet in de richting van de flat waar ze woont. Ze heeft eigenlijk geen idee waar ze heen gaat.

De IJssel blikkert als een zilveren lint door het landschap. Tirza heeft zich onderweg her en der van de plastic tassen ontdaan door ze in gemeentelijke prullenbakken achter te laten. Nu staart ze met gezwollen ogen naar de rivier terwijl haar gedachten koortsachtig met haar op dc loop gaan. Moet ze stoppen met de opleiding? Heeft ze een verkeerde keuze gemaakt?

Het ging toch goed? Ze had hard gewerkt en ze hield het vol. Ze was naar therapie geweest, ze had een begin gemaakt met haar herstel. 'Ik wil graag een uitgebreider verslag van je voeding op een dag,' schreef de therapeute bij haar summiere aantekeningen. 'Schrijf elke maaltijd nauwkeurig op en wees eerlijk.' Alles verzet zich in haar maar ze gaat het doen. Natuurlijk eet ze nog niet normaal. Die therapeute dringt niet voor niets op uitbreiding van haar aantekeningen aan. Floris had schijnbaar in de gaten dat ze nog wel eens overgaf, maar ze doet toch haar best? Niemand weet wat dat haar kost. Ze vecht tegen die stem in haar hoofd en af en toe wint ze. Af en toe kan ze die stem overschreeuwen. Dan zegt ze dat ze goed is zoals ze is, en dat het niet klopt dat ze dik is. Ze is zeker niet wanstaltig dik. Ze zegt het hardop. Ze schreeuwt het soms.' Ik ben helemaal niet wanstaltig dik.' Waarom is Floris dan nog niet tevreden? Waarom heeft iedereen het erover dat ze zichzelf moet laten zien?

Ze leunt voorover op het stuur van haar fiets. De wind bij de rivier is fris. Ze huivert, en als ze even later weer op haar fiets stapt lijkt alle energie uit haar te zijn verdwenen. Het lijkt onmogelijk om naar huis te fietsen. Daarom stapt ze af en met trage passen begint ze aan de te lange weg naar de kleine flat waar ze Floris weet.

Meer dan een uur later stalt ze haar fiets onder in de kelder en als ze bij de voordeur is, ruikt ze de etensgeuren al. Floris kookt met liefde en laat haar graag meedelen in zijn creaties. Ze is de verkeerde flatgenoot. Zijn kookkunst verdient het om gewaardeerd te worden. Het is goed dat hij naar elders vertrekt. Als ze haar sleutel in het slot steekt, wordt de deur al opengerukt. 'Waar heb jij uitgehangen? Wat zie je eruit? Wat is er aan de hand? Ik heb je gebeld maar je had je mobiel niet aanstaan. Wat heb je toch gedaan?' Ze had veel verwacht maar niet zijn woede, niet zijn hand die haar arm ruw vastgrijpt. Ze wil er iets tegenin brengen, maar als ze naar zijn verwrongen gezicht kijkt, barst ze in snikken uit.

'Het is net alsof ik helemaal alleen ben,' zegt ze zachtjes als ze even later tegenover Floris zit, haar magere benen onder zich opgetrokken, haar handen rond een mok met warme thee. Ze is voorzichtig, haar tong is nog gevoelig van de thee eerder op deze dag.
'Ieder mens is in wezen alleen,' zegt Floris bedachtzaam. 'Er zijn vaak genoeg mensen om je heen, maar in essentie blijf je alleen. Dat wil niet zeggen dat je geen hulp en steun van anderen kunt krijgen, maar daar moet je dan wel voor openstaan.'
'Jij bent ook niet bepaald sociaal te noemen,' werpt ze hem voor de voeten. 'Ik heb je in ieder geval altijd als een einzelgänger gezien.'
'Ik wil ook helemaal niet de indruk wekken dat ik sociaal ben,' verdedigt hij zich. 'Dat is waarschijnlijk het grote verschil tussen ons. Jij probeert populair te zijn, je bent overal bij, maar ondertussen laat je de mensen geen moment dichtbij komen. In het begin zien mensen dat niet.' Hij wacht even, zoekt naar de juiste woorden om zijn gedachten te formuleren. 'Uiteindelijk komt er toch een moment waarop ze dat doorkrijgen. Dan haken mensen af. Ik leef in mijn eigen wereld met een paar goede vrienden. Die vrienden weten precies wat ze aan me hebben, want daar ben ik duidelijk in. Dat zul jij moeten leren.'
Ze lijkt nog kleiner dan anders in de grote leren draaistoel, waar ze zo graag in zit.

'Wat ga je nu doen?' Hij buigt zich voorover in haar richting. 'Ga je het opgeven?'

'Ik heb maar één voldoende gehaald.' Somber draait ze de mok in haar handen rond. 'Ik zal keihard moeten werken.'

'Ik ben ervan overtuigd dat je het kunt.'

'Ik weet niet... als jij gaat verhuizen...'

'Ik ga niet verhuizen.' Hij grijnst. 'Er is geen moment sprake van geweest dat ik zou gaan verhuizen. Ik wilde het op een gegeven moment wel, want ik zie hoe jij nog steeds bezig bent om jezelf te gronde te richten. Toch weet ik zeker dat het goed komt. Misschien moet je een andere hulpverlener zoeken want deze vrouw weet je veel te makkelijk om de tuin te leiden. Misschien moet je voor een interne behandeling kiezen. Ik weet hoe bang je daarvoor bent. Je zult het voor een groot deel wel alleen moeten doen, maar ik wil je graag steunen waar ik kan.'

'Broertje...' zegt ze teder.

'Ik ben je broertje niet. Wij waren helemaal geen grote, hechte en echte familie. Het schilderij heeft z'n glans verloren, maar wij zijn er nog. Jij bent er nog. Laat eindelijk eens zien wie je werkelijk bent, dan ben je veel mooier dan met die opgelegde laag die je altijd laat zien. Doe het voor mij, Tirza. Je betekent veel meer voor me dan een zogenaamd zusje.'

Ze kijkt naar hem, opent haar mond om iets te zeggen en sluit die weer. 'Floris toch,' weet ze dan nog uit te brengen, maar het klinkt niet afwijzend en voor dit moment is dat voor hem genoeg.

Ik ben sterk. Veel sterker dan ik dacht. Ik ben sterker dan Daan en dan Roy. Ik ben sterk omdat Floris er is. Floris is m'n beste vriend. Hij helpt me om sterk te zijn. Ik heb het fout opgeschreven. Floris is veel meer dan m'n broer en beste vriend. Van Floris kan ik houden. Ik ben sterk!

Epiloog

Lieve papa en mama,

Aan de telefoon vroeg papa me van de week iets te vertellen van de therapie waarmee ik kortgeleden ben begonnen. Inmiddels ben ik er al voor de derde keer geweest en er is me veel duidelijk geworden. Omdat het een heel verhaal is, leek het me goed om het voor jullie op te schrijven. Jullie kunnen het dan nog eens nalezen en bovendien vind ik het zelf ook prettig om het op papier te zetten. Zoals jullie weten ben ik, o.a. op jullie aandringen, al een poos eerder onder behandeling geweest. Ik had daar vanaf het begin geen goed gevoel over. Soms had ik het idee dat de therapeute nauwelijks echt in me geïnteresseerd was en daardoor leek ze ook niet in de gaten te hebben dat ik nog gewoon op dezelfde manier bezig was. Of zoals Floris het uitdrukte: 'Je weet haar wel heel makkelijk om de tuin te leiden.'

Tijdens de drie sessies die ik nu achter de rug heb, ben ik al veel gaan begrijpen van mijn probleem en waar dat uit voortvloeit. Om jullie dat duidelijk te maken zal ik jullie pijn moeten doen, maar het is zaak om eindelijk eerlijk zijn. De oorzaak ligt vooral in het feit dat we weliswaar een leuk gezin leken, maar dat er onderhuids van alles speelde. Dat is vooral de laatste tijd wel duidelijk geworden. Waarschijnlijk heb ik dat onbewust aangevoeld en daarbij was het heel duidelijk dat Kelly helemaal mama's dochter was en ik helemaal niet. Meer dan eens heb ik gehoord dat mama zo blij was dat Kelly haar droom waar ging maken door verpleegster te willen worden. Ook de laatste tijd draaide weer alles om Kelly die volgend jaar naar Ghana wil, en dat nu ook heeft geregeld. Ik zeg dit niet omdat ik jaloers ben, maar wel omdat het me duidelijk is geworden wat het voor mij betekende. Ik wilde namelijk ook aandacht en dat probeerde ik vooral door me een rol aan te meten. In die rol was ik de leuke, vrolijke en zelfbewuste Tirza, maar als ik uit die rol stap, blijft er niets meer van mij over. Dan ben ik juist een onzeker en bang meisje dat bijna niemand echt kent. Jullie kennen dat meisje eigenlijk ook niet. Ik paste me altijd aan, tot ik ontdekte dat er een manier was om jullie aandacht te krijgen. Ik was er trots op dat ik in staat was om zo de baas te zijn over mijn eetgewoontes. Jullie kon-

den me er niet van weerhouden. Niemand kon dat en nu besef ik dat er maar één persoon is die daar verandering in kan brengen. Dat ben ik zelf. Nog belangrijker is de ontdekking dat ik dat nu ook heel graag wil. Eigenlijk wil ik dat al een tijdje en dat heb ik ook aan de psychiater uitgelegd. Ik ben blij dat het met haar klikt. Ze heet Ans en ik heb echt het gevoel dat ze me serieus neemt. Ik krijg geen pasklare antwoorden van haar, maar ze laat me wel dingen zien. Zo heeft ze bijvoorbeeld ook mijn dagboeken doorgelezen en naderhand zei ze dat ik inderdaad al heel lang wilde stoppen. Daar heeft ze gelijk in. Ik wil het ook al heel lang, maar het lukte me op de een of andere manier steeds niet. Ze heeft me laten zien dat ik een doorzetter ben. Ondanks mijn problemen heb ik toch mijn eindexamen gehaald en is het me gelukt om aan een nieuwe opleiding te beginnen. Die opleiding wil ik heel graag afmaken en hoewel ik het best zwaar vind, wil ik daar helemaal voor gaan. Daarom heb ik ook besloten om niet voor de interne behandeling te gaan. Ik zou dan moeten stoppen met de opleiding en dat wil ik niet. Ans heeft voorgesteld dat ik de eendaagse behandeling ga doen. Dat vergt veel meer zelfstandigheid. Ik moet zelf eten en de lijsten en dagboeken bijhouden, en het gaat langer duren. Toch wil ik dat proberen. Floris heeft gezegd dat hij helemaal achter me staat. Ik ben zo blij dat hij er is. Ooit heb ik hem als een broertje gezien, maar zo langzamerhand is hij veel meer dan dat geworden. Daarom ben ik ook zo blij dat jullie weer 'on speaking terms' met oom Olaf en tante Annabel zijn. Het wordt misschien niet meer helemaal zoals het was, maar we kunnen in ieder geval weer normaal met elkaar omgaan. Raar idee, mama met oom Olaf en nu ik met Floris. Ik hoop dat het voor ons beter afloopt.

Lieve papa en mama, verwacht niet te veel van me, maar weet dat ik heel graag wil. Ik sta er voor meer dan honderd procent achter en ik weet dat jullie me steunen. Laatst heb ik een lieve brief van Kelly gekregen. Volgens mij is ze erg geïnteresseerd in een arts die bij haar in het ziekenhuis werkt. Ze had het in de brief in ieder geval wel drie keer over hem.

Heb maar vertrouwen in de toekomst. Ik hou van jullie en zal echt mijn uiterste best doen.

I GO FOR IT!

Dikke kus van Tirza